国家出版基金项目
NATIONAL PUBLICATION FOUNDATION

《三联经典文库》

第二辑

2012年国家出版基金项目

三联经典文库

144

中国及其未完成的革命

H·普拉特 著　　蒋天佐 译

生活·讀書·新知 三联书店

图书在版编目(CIP)数据

中国及其未完成的革命 / H·普拉特著；蒋天佐译.
-- 北京：生活·读书·新知三联书店，2014.1
（三联经典文库第二辑）
ISBN 978-7-108-04663-5

Ⅰ. ①中… Ⅱ. ①普… ②蒋… Ⅲ. ①革命史－中国－古代
Ⅳ. ①K201

中国版本图书馆CIP数据核字(2013)第246502号

责任编辑 卢 莹
封扉设计 蔡立国
责任印制 常宁强
出版发行 生活·讀書·新知 三联书店
(北京市东城区美术馆东街22号)
邮 编 100010
经 销 新华书店
印 刷 北京鹏润伟业印刷有限公司
版 次 2014年1月北京第1版 2014年1月北京第1次印刷
开 本 787毫米×1092毫米 1/32 印张 7.5
字 数 104千字
定 价 27.00元

《三联经典文库》出版缘起

适逢生活·读书·新知三联书店八十华诞，为弘扬传统，接续文脉，回报读者，服务社会，我们决定策划出版《三联经典文库》。

1932年7月，生活书店在上海创办，此后，读书出版社和新知书店相继成立。本文库第一辑、第二辑所选图书，来自于这三家出版单位及其分支机构，以及1948年生活·读书·新知三联书店成立后的出版物，始于1932年，截至1951年，两辑各一百种。此为第二辑，涉及政治、经济、社会、军事、思想文化诸领域，涵盖专著、文集、散文、小说、诗歌、传记、报道等体裁，既有直面现实、追求真理、讴歌真善美、抨击假恶丑的原创作品，又有引介世界各国先进文化、传播新知、开启民智的迻译之作，真实记录了那一代知识分子的思考与探索、理想与愿景和对中华民族文化传承与创新所做出的努力与贡献。

本文库所辑入各书，多为名家名作，在版本方面，以初版一印本或经著译编者审定、修订、增订过的版本为首选，因此本文库又具有较为珍贵的版本价值和收藏价值。

本文库还将编选续辑，使之成为恢弘文化工程。诚挚希望读者给予批评和指正，帮助我们完善编选工作，再现三联经典作品之风采。殊为遗憾的是，由于年代久远，一些原著译编者及其后人未能取得联系并奉付稿酬，诚盼版权所有者与我们联系。祈愿三联前辈所创造的精神财富能薪火相传，为中华文化的伟大复兴增光添彩。

《三联经典文库》编辑委员会

2013年8月

凡　例

一、本文库为重排本，由繁体字竖排版改为简体字横排版。

一、以忠实于原作、整旧如旧为编辑原则，对当时使用的专有名词、外文译名，以及民国时期的语言和特色予以保留。

一、原书注释如旧，编者所出的注释，均以“编者注”标明，以示与原书注释的区别。

一、对原书残缺或字迹漫漶之处，以□示代。

一、对繁简文本转换时的“如右”、“见左”一类，对应改为“如上（前）”、“见下（后）”。

一、对原书中各种错讹脱衍之处，直接订正，不再以其他符号标示。

一、对数字、标点符号的用法，在不损害原文语义的情况下，做必要的规范。

一、本文库各书均前插原书书影、原书版权页和文库版“本书出版说明”。

一、本书出版说明的撰写，以客观中立为原则，扼要介绍本书的内容、版本流转、著译编者的情况。

本书出版说明

西方人从《马可·波罗游记》中了解到的中国是中国巨大的财富；后来，世界各国都处在日益复杂的相互关系中的时候，他们就不得不从更多方面了解中国。作者通过对中国历史的研究，认为中国的“人生哲学”对中国的政治影响非常大，统治者利用这样的哲学思想来驾驭人民的物质和精神生活，当人民的生活无法维持时就会发生暴动和革命，或迟或速地推动一个新的朝代的产生，而中国的历史就是朝代的更替和帝国一再的分裂和统一。从秦汉时期开始，一直到写作此书的时间点——抗日战争时期，每个阶段的革命虽有上述的相同点，但又都有不同于其他时代的特点。到写作时为止，中国仍然处在动荡时期，所以作者说中国革命是一场还未完成的革命。

本书由读书生活出版社1939年12月初版，本次出版即以初版为底本。

著者，H·普拉特，具体情况不详。

译者，蒋天佐(1913-1987)，原名刘季眉，又名刘健、刘其镠，笔名史笃、贺依，江苏靖江人。1930年加入中国共产党。1932年参加左联。曾任《大公报》文艺副刊编辑，《民主周刊》执行编辑，中华文化界救亡协会上海总会副书记，上海文化界党总支书记等。1949年后，历任人民文学出版社副社长，文化部办公厅副主任，江西省文联、中国作协江西分会副主席，中国作协第一届理事。译有狄更斯《匹克威克外传》、《奥列佛尔》，杰克·伦敦《荒野的呼唤》、《雪虎》，萨克蒂科夫·谢德林《萨克蒂科夫寓言集》等。著有《低眉集》、《海沫文谈》、《海沫文谈偶集》等。

生活·读书·新知三联书店

2013年8月

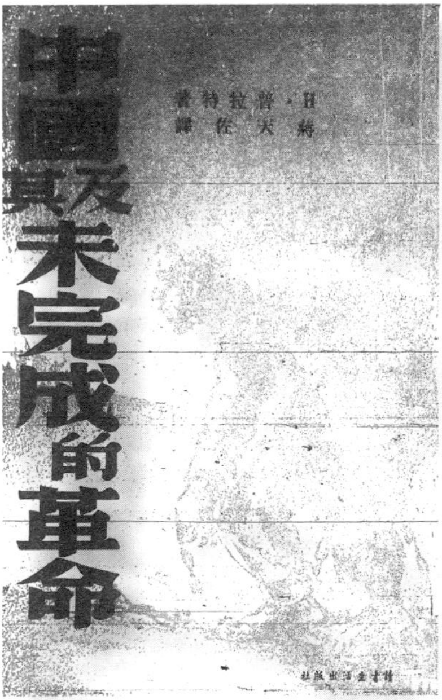

读书生活出版社 1939 年 12 月初版书影

中國及其未完成的革命

ZHUNGGUO GIKI WEIWANCHENGDE GEMING

中華民國廿八年十二月初版

著者　美國 Helen Pratt

譯者　蔣天佐

出版者　讀書生活出版社

重慶　武庫街一百號

成都　祠堂街七十二號

昆明　華山南路九十號

貴陽　中華南路五十七號

桂林　桂西路十七號

香港　擺花街三十三號三樓

上海　靜安寺路斜橋弄七十一號

實價：國幣七角

（內地酌加郵運費及匯水　成）

總 0111

原书版权页

目 次

中国历史上的各时期简表

这里所列的表格只是极简单的指出这一个长而复杂的历史的大概。例如自从一九一一以后中国发生了分裂，这分裂的详情这里是略去的。同样的，古时候的这类分裂的详情也略而不及。

传说时期	夏王国	
先史时期	商（殷王国）	大约纪元前一五〇〇——前一一〇〇
封建时期（统一的）	周朝	大约纪元前一一〇〇——前四五三
封建时期（分裂的）	战国	纪元前四五三——前二二一
第一帝国	秦朝	纪元前二二一——前二〇六
	汉朝	纪元前二〇六——纪元后二二〇
帝国的第一次分裂	三国	二二〇——二六五
	晋朝	二六五——四一九
	南北朝	四二〇——五八九
第二帝国	隋朝	五八九——六一八
	唐朝	六一八——九〇七
帝国的第二次分裂	五代	九〇七——九六〇

第三帝国	宋朝	九六〇——一一二七
帝国的第三次分裂	南北分裂（宋在南方，北方是蛮族建立的王朝）	一一二七——一二七九
最后的统一帝国	蒙元	一二七九——一三六八
	明	一三六八——一六四四
	满清	一六四四——一九一一
民国		一九一一——

导言　诱惑想像的中国

马可·波罗把所谓“大秦”描写得天堂一般，引动了欧洲冒险的开拓者们横渡无边的大海来寻找这处地方。从这时候起，谜似的中国三番四复的激动了欧洲人的想像和好奇。当然，吸引他们的，主要是马可·波罗所报告的这个国家的财富。他们并不知道在马可·波罗到中国之前六百年，这帝国的首都是亚洲的文化中心，不但有许多商人到中国去寻求它所生产的东西，而且还有从亚洲大陆各国和从日本岛来的学者和生徒——为了研究和学习这帝国的政治、法制，和那时候是全世界最伟大的思想。从这时候再算上去六百年，我们又发现，关于中国的东西的一些知识已经传进了罗马帝国，罗马渴求着蚕丝，而当时只有中国知道产丝的秘密。从马可·波罗那时候向下算起来，我们记得十八世纪的时候中国的优良物产引动了欧洲世界，使它派了美洲快艇渡过太平洋把它们的迅速的航程的胜利品带到全世界各商埠。十八世纪欧洲的哲学家们得到了一些中国思想的知识；他们对于中国的政府和法制表示了过分的赞美；但是一般说来，在亚洲以外，人们对于中国的优良物产的理解，比对于中国在文学、艺术、哲学和政治方面的成就的理解好得多多。

甚至当古罗马统治着地中海沿岸的时候，中国文化已经不是新的了。在这时候的几世纪之前，中国已经发展了那特征的和重要的表意文字，而养蚕和纺织的起源更古，已经无可考查，只剩了模糊的传说。近来考古学的研究发现了先史时期的石器时代的文化的遗迹，大约是纪元前三千年以前的；从残留的骨髓研究起来，证明它是中国人的祖先所创造的。这远古的文明叫做仰韶文明。关于它，以及它之后另一种也是先史时期的文明，有一位考古学家这样描写：

在仰韶文明的时代，有很多耕种田地的人聚居在一个一个大村庄里。很能干的樵夫当然早已有了。他们的陶器比石器时代全世界任何地方的陶器都好……这种彩色陶器的制法也许是西方学来而在中国发展到较高水准的，但是仰韶文明在彩色陶器之外还包含了其他东西：镰刀形和长方形的小刀，斜凿，鼎一类的三足器皿，特别是鬲，这东西直到如今还有人用。我们老是看到这种有三只凸出而中空的脚的鬲，这东西是如此的表现了中国北方的特征，我们也许有理由当它做中国文明的象征。

不但比起那黑暗而未知的、真正的新石器时代来，就是比起那些后继的时代来，仰韶时代也是显得丰富而光辉的。后来我们发现了大约是纪元前一千到一千五百年前的、确实的古中国人的遗迹。这是在河南北部的安阳发掘出来的。安阳是商（殷）末一个小国的都城，这小国是一千年以后成为汉帝国的某种势力的发源地。

安阳的发现，一部分是刻在骨片、铜器皿和铜兵器上的古文，一部分是——具有同等

> 的重要性——刻在骨头、石头和象牙上的优美雕刻。我们可以看出这些先史时期的东西已经齐备了中国有史时期的文化的主要特征：政治才能，宗教，文言，历法，和一种艺术。[1]

骨头上的铭文，有特殊的兴趣，因为它们大都是关于日常生活的事件叩求神灵的实际问题的记载，因此可能从它们推断出那时候的生活的许多情景。根据这种推断所构成的详细的图画不管如何动人，但对于我们的目的，我们只要知道有某种证据证明中国人的祖先在很久很久以前就有了进步的文明，而从它里面产生了中国的有史期的文明——这就很够了。

对于中国过去的历史的长度，或是对于那很久以前就发展了的、开化的形式，是很容易过于看重的。但这些也是既动人而又有意义的。有一位出色的现代中国作家说：

> 中国是现代世界上最使人困惑不解的事，

[1] Anderson, J. Gunnar，*Children of the Yellow Earth*，pp.331-337.

> 不但因为它的年纪老或是地域广大。它是现存的最古的、文化悠长的国家；它有最多的人口；它一度是全世界上最大的帝国，它曾经是一个征服者；它给世界上贡献了一些最重要的发明；它有一种文学，一种哲学，和一种完全是它自己的“人生哲学”；在艺术的领域里，当别人还在努力拍一拍翅膀的时候，它已经翱翩在天空了！……
>
> 它一度是幸运的。它一度是征服者。现在，它的最大的幸运好像是只要能生存，能保全生命；但是人们不得不相信它是有能力做到的。人们会记得，美丽如希腊，光荣如罗马，都早已逝去，而中国却度过了这许多年代；会记得，它如何照自己的样子消化和改造了外来的思想，以及如何吸收异族在自己的血里。[1]

这些话挑拨我们的好奇，并且刺激我们想到我们脑子里所有的、关于这些话后面的真相的图画，不管这些

[1] Lin Yutang，*My Country and My People*，pp.4-5.

图画是如何模糊……在稻田里，在茶山上，在桑林里，无数的人做着苦工……世世代代劳碌着的手艺工人在制茶，舂米，磨麦，纺织丝、棉和麻葛；制造和修饰瓷器、漆器；绣刺锦缎，琢磨宝石，装作珐琅的铜的器皿；造纸……另外，也是在这些具体的功绩的范围之内的，我们又想到一些合力造成的东西……长城，这全世界最伟大的绵延的堡垒……运河，这全世界最长的人工水道；……较小而重要性不减的，为了运输，防泛，和灌溉而开凿的，巨大的蛛网一般的河道……还有故都北京，和它的紫禁城，宫廷，大殿，厅堂，花园，大理石桥，琉璃瓦，以及御座和天坛——北京，这帝国的一大串都城里的最后一个，直到现在还是世界上的奇观之一，它遗留下来的东西使人们想到那消失了的帝国的光荣。

包藏在这些具体的生产物和建设事业之中的，我们知道那是世世代代忍耐着的中国工人的手艺和匠心，劳动和创造。

此外，我们还可以提供我们所知道的关于现代中国人民，关于影响他们的生活的地理环境的知识。中国人口大约占全世界人口五分之一，也许四分之一，这庞大的人口所生活的国家虽然和美国差不多大，但是它里面包括世界上最高的高原，它们是如此的高而干燥，所以不能给养大量的人民。因此中国人只好很稠密的挤在比较肥沃的平原和大河盆地，即使最富的农民也只能有比较小的耕地。两条世界上的大河流过这些平原和山谷——黄河和长江。关于后者，马可·波罗曾经说：

> 我请你们相信，这条河是这么长，而它流过的城市和乡村是这么多，所以，一点也不夸张的，在它上面来来去去的财富和商品，比基督教世界的全部河流上的合并起来还要多哪。

但这两条巨大的河流都是水灾的制造者。差不多每年都可以看见一次水灾，每次水灾则带来了生命和财产的毁坏，饥馑，和更大的悲惨和贫穷。人命在中国是不值钱的……劳动是不值钱的……苦力们用他们的被压弯了的背负载大商埠的货物，所得到的报酬极其微小……中国的货物是从远处由用人力推进的小船、小车，或是人的背运输到各地的，许多世纪以来就是如此。

中国人曾经产生了一些被外界非常注意的东西。他们发明了火药、爆竹和指南针；还有养蚕、造纸、制造纯白细瓷、取漆，这些秘密的发现也归功于中国人。但这里所指出的不过是少数最后流传到外界的，或是刺激着各处的发明天才的发明而已。

至于我们对于中国的"完全是它自己的'人生哲学'"的印象，比对于这国家所产生的较具体的东西，或是对于地理环境，或是对于人民的经济问题的散乱的观念，也许还要不绵密。一幅考场——现在已经荒凉了——的图画会出现在我们眼前……许多儒士被关在一个个小洞里，写着那也许可以使他们走上仕途的考卷。我们会想到，好像学问在中国之被重视，只因为它是官场的敲门砖似的……孔子的名气我们是知道的——也许我们会从他的名字联想到孝道的教训，联想到它那使——我们听说——中国人民的思想向往于古代的影响力。我们脑子里还有中国对于祖先的尊崇……祠堂里和家里的神主牌位……一个密切结合着的家族团体的模糊的印象——这团体里不仅包括了活人，还有被崇敬的死者。

但是——关于中国，我们究竟真正知道了些什么事情呢？为什么我们要来注意这和我们离得远远的，曾经有过那么自足自满的文化而显得对于外界丝毫不闻不问的人民呢？是在美国初告独立的当时，乾隆皇帝曾经这样写给英王乔治三世：

> 天朝物产丰盈，无所不有，原不藉外夷货物以通有无。

这些话假使没有其他作用，至少刺激了我们的好奇。我们知道，正当这古旧的农业国家坚持了许多年拒绝改造自己的生活样式的时候，一部分看清这种改变是不可避免的势力，却日渐的增长着。一九一一年，推翻满清的辛亥革命发生了。但是随后，各种互相冲突的势力起了作用，阻止着中国的独立和妨碍着它的统一。由于外来压制和内部分裂的结果，中国人民的痛苦就更厉害了。

现在世界上各个国家是被日益增加的互相关系联结

着的，某一部分的人类——纵使生活在远处——的利益，不得不影响其余的人们。而且当中国获得独立和统一的时候，中国就要建设他们的社会的、政治的和经济的生活，这生活的所由建设的路线，对于全世界将有重要的意义。

过去的故事里有许多可以让我们用来解释现在。但是要从这长久而复杂的中国历史里找出目前的理解所需要的最重要的事实来，却是比企图这样做困难的。然而我们不得不试从中国的过去寻求能帮助我们理解它的现在的一些知识。我们无论向那一方面看——回顾过去或是瞻望将来——中国都诱惑我们的想像。

第一章　“领土广大……文化悠长”

如何画一幅中国地图，对于现代的地图制作者也许是为难的事。中国是否就是南京政府所宣称的地域呢？或者，它所包括的只是在南京的控制之下的地方吗？在北方是受苏联影响的“外蒙”，宗主权还属于中国。这以南是“内蒙”诸省——宁夏、绥远和察哈尔；这里有许多汉人住着，但是南京的权力至多不过是名义上的。向东是东北四省的平原，现在成了所谓“满洲国”，它宣称独立，但是列强并不加以承认，而且实际上它是日本统治的。长城以南，日本的势力正在激增，有压迫华北脱离南京之势。在辽远的西方和南方是新疆和西藏，南京对于它们几乎没有或简直没有权力。在中国的中部，有流动的中国苏维埃区域；在山东和云南，南京的权力薄弱，广东和广西也和南京若即若离。在这些情形之下，把“中国”作为地理单位来讨论，当然是困难的。（译者按：本书所说是截至一九三七抗战前为止。）

但是，假使不从现今中国政府所实际统治的地域来说，而从散播了中国文化而且久已在这文化的支配之下的地域来说，那么问题是比较简单的。当然，在中国的悠长的历史过程中，它的版图曾经一再的改变，但是中国文化经过了这一长久的时期，已经在那些得而复失、失而复得的各种极不相同的地方散播了统一的影响。

大陆性质是中国地理环境的特征之一。就美国而言，中国是在广阔的太平洋对岸，所以我们会认为它是从太平洋沿岸向内陆扩展的；但从历史看来，这是错误的想法。中国文化是发源于辽远的内地，在黄河的河套一带，却不是在河口。有些时候中国人也航行海洋，还居留在附近的岛上；但是政府方面却没有作特殊的努力想把中国变成海洋国家。田地、河流和山，比浩大的太平洋对于中国人的理想和希望有更大的影响。中国的探险者和旅行者的野心是向大陆内部发展——向西方和南方的多山地带，向中亚细亚的沙漠和平原。有好几百年，中国对外贸易的最大部分是走陆路的。外来的新的文化影响，以缓慢的渗透过程从群山或沙漠达到了中国；至于由海道传来而引动中国人对于海外国家的注意的，直到较近的时候为止是极少极少的。

早期中国人所居住的黄河流域，那里的自然条件并不特别优良。居民要用一代一代千辛万苦的劳动才能征服土地和使它继续生产。黄土地带（风吹积的）生满的杂草和小树清除之后，必需用灌溉来维持这种土地的生产机能。于是掘井、开河，取水来灌溉。冬天是很冷的，但是这没有森林的平原几乎不能供给生火和造房屋的木料。于是他们造了泥屋和窑洞，并且搜集一切可以作为燃料的东西。在这些条件之下，这些人民就养成了实际的、勤劳的和忍耐的性格。替子孙改良了田地的祖先，被尊敬的纪念着；家长对于儿孙极其负责。家庭里几个男子的劳动必需用来维持一家的生活。因此在中国历史上早就发展了强烈的家族观念：一个家族的传种接代绵延不绝，以及一个大家庭的团结巩固，许多房的子孙和子孙的老婆儿子大伙儿共同生活。

黄河的内陆流域的自然环境，深刻的影响了古代中国人的思想和行为的形式。中国文化就发源于这地方；

而跟着这国家的发展，这文化就广播开来。向南，它达到那上游狭而急、下游平缓的长江。长江以南的地方虽然被大山分割成为各自隔离的区域，但是中国人仍然南进，一直把他们的文明带到云南和印度一支那半岛。和北方蛮族的接触增加的结果，又把中国文化传播到长城以北，透入满洲平原和高丽半岛。还有一些商人、探险家、殖民者和军队，把中国文明带进了西方的土耳其斯坦沙漠，西南的西藏高原。各种不同的人民就这样的被带到了这发源于中国北部平原，而具有这地方的农业生活的特征的文化的影响之下。跟着时间的推移，前后侵略中国的诸北方蛮族，都领略了中国文化，当他们进占中国的时候，与其说是做了破坏者，不如说是做了衰弱的中国朝廷的生气勃勃的篡代者。

中国文化所播及的区域，在地形、气候和雨量诸点是大不相同的。自然环境的显著的不同，可以解释各地的农产物、食物习惯和人口密度的不同。包括黄河流域及其支流地带的北部平原，是光秃的。这区域的土壤是沙漠里吹来的黄土构成的，它太松而易变，不宜于森林，因此这广大的平原上实际上没有什么树木。冬天很冷而干燥，不能种稻，所以麦和高粱是主要的谷物。这平原上的人口大约是每方哩六百五十人。扬子江三角洲的平原上有七千万人口，大约每方哩八百五十到一千人。扬子江中段及下段的南北两岸是多丘陵的省份，在这地方无论是平地或山坡都被极度的耕种着。长江以南米是主要的农产。这些沿江的多山的省份有人口九千万；平均密度是每方哩三百人。东南沿海的地方是另一个多山的而人口稠密的区域，有七千万人口。在长江上游的四川，有五千万人口；平均密度每方哩六百人。这些区域总计起来，面积只有全中国的百分之十七，而人口却占全中国的百分之八十三。其他属于中国的区域的平均人口密度是每方哩三十五人。[1]这种人口分布不平均的状态，一则是因为西藏和蒙古高原的海拔太高，气候太燥的原故；再则因为满洲是清朝的发源地，在一九一一年革命以前是一直作为满人的独占物，不许移民的。十九世纪二十年代以来汉人曾经大量的移居满洲，但是一九三一年日本占领了满洲之后，这移民运动就被制止了。显然

[1] 数字见 Wong，W. H.，*The Distribution of Population and Land Utilization in China.*

的，中国人的极大多数是住在黄河和长江这两条自西至东穿过中国的大河的附近，所以这两条大河的流域是有特殊的重要性的。

这两条大河的流域虽则在地形和气候上不同，但是有两点是类似的——第一，稠密的人口，和因此造成的极度的耕种；第二，常常发生水灾。唯有水灾才会造成的大破坏的情景，在中国历史上是常常发生的。土地的性质，黄河长江和它们的支流的水势的浩大，平原上居民的麇集，村落的密布，这些都造成了，而且继续造成着水灾的严重的破坏性。水灾之后的大饥荒，往往只有最强壮的人才能挨过。

不过，还不能把水灾单纯的看作破坏者。它们却也是建设者。虽则灾情触目惊心，虽则生命财产的损失浩大，但是不能忘记大水退掉之后留下了肥沃的沉淀，对于被耕种了三千年以上的土地，有很大的好处。在大水的破坏之后可以有比较好的收成。

当然，中国河流对于土地生产能力的利益，主要的决不在于这种不定期的泛滥，而是在于其他方面。在中国，河水所含的泥沙成份很大，因为河岸上缺乏树木，所以堤岸容易被水浸蚀甚至崩塌。河流入海的时候带着大量泥沙，使海岸以外许多里地方的水也成了黄色，偶然到中国去的人就会发现这种事实。可以说，人们在没有达到中国的海岸的时候，已经在中国的“国土”之上了。河泥是很肥沃的，中国人很看重它的价值。从历史上看，他们老早就开辟沟渠把水引导到最接近江河的田地里了。纪元前二二一年以后，中国统一在一个能够担任较大的公共事业的政府之下的时候，就在许多地方开凿了较大的运河。跟着时间的进展，中国农业区的大部分都布满了运河网了。

虽然最大的一些运河最初开辟的目的是为了运输，而不是为了灌溉、防汛或肥田，但是由于它们的建造，农民受到了利益。黄土——像海绵似的吸水的黄土——的生产能力增加了；在南方，广泛的开了运河才使稻米能够大量的生产。农民对于河泥的重视可以从如下的事实证明：他们往往把为了防泛或运输而建造的堤岸故意掘开，以便把肥沃的水引到他们的田里。

前面已经说过，中国文化散播到的地方有的是沙漠，有的是山地，有的是高原，有的是平原。这些地方的地形、气候和生活条件各不相同，似乎足以成为任何统一的文化的发展的障碍；但是虽则如此，中国文化达到每一处地方就被当地的人民采取，而这人民实际上就成了中国人。这种渐渐克服地域的不同而统一人民的力量，其中之一是中国的文字。它不但对于中国人，而且对于全部远东都是如此重要，所以应该仔细的注意它。

要想探研中国或中国人在历史上的地位，无论如何必需注意中国人所运用的文字。这种文字通常称为“汉字”，它原来是用象征的方法表达意义而不是表达声音的，所以不妨比较适当的叫它“表意文字”。为了更清楚的了解中国字的性质，最好先想一想我们的英文或拉丁文的性质。

语言总是先于文字的，这就是说，原始人总是先会口头的表达事物的意义，然后才创造了写出这些意义的方法。在最大多数欧洲人的历史上，文字是从外面输入的东西。例如，希腊或罗马的教会的传教师住在欧洲某处地方，他们学习了这地方人民的语言。为了供给书籍给皈依的教徒阅读，或是为了宗教仪式的需要，他们于是创造出一种新的文字，用希腊或拉丁的字母来表达这地方的语言的声音，假使有些声音他们的字母不能表达，就创造一些新的字母。显然的，这样方法所造成的文字，它的字母是拼音的，也就是说，只表示声音而不表示意义。一座山的意义，在意大利或德意志都是一样的，但是写下来的方法却很不相同，因为说起来的话是不同的。一部分人会把山叫做“mons”，另一部分人会叫做“berg”。

假使这些传教师当初没有应用这种分成字母的文字，而用了表意文字的话，他们的工作的成果就一定大不相同了。

分成字母的拼音文字在好些方面可以说是人类所发明的文字里面最好的。我们的文字的字母，是按照我们在言语里所发的不同的声音的多少，来规定它的数目的。而我们的声音的种类少有超过四十。打字机、铸字机和其他文字工具所以能够制造出来，主要是因为字母的数目有限是很便利的。一切文字都用共同的字母的话，就可以使懂得某种文字的人在相当限度之内知道其他任何文字的发音。我们能够很快的把一句法文的发音学得非常正确，虽然对于它的意义的了解是另外的问题。

中国字既然是表意的，所以会得到几乎相反的结果。古代中国人要表达“山”这一个观念的时候，却没有想到用某种符号来表达“诗”和“安”的声音，他们反而画出一座山的样子来代表它。这种发明，应该指出，并不是独一无二的；因为现在大家都相信所有欧洲文字的字母，在起初也是一些图画。但是，当西洋人老早放弃了他们的字母的绘画价值的时候，中国的象形文字还顽强的存在着，这使我们很有理由说中国文字和我们的是根本不同的。

用表意文字所得到的结果，是显然可以看出来的。代表山的图画，任何地方的人都容易懂得它的意义。但在这图画里关于山的观念如何说法，如何发音，是一点也没有指示的。所以把山叫做“亚马”（“yama”——日本“山”字的读音。——译者注。)的人，也不妨应用“山”这一表意文字。事实上就是这样做了的。中国文化传播到非中国人里面的情形，好比希腊罗马的传教师在欧洲的活动；但在这传播的过程里，中国文字的介绍，是作为中国用惯的图画去代表当地人民已有的观念，而不是作为中国发音的符号去代表本地言语的声音。那么，广而言之，西方人因为用相同的字母，所以能够读出别国的文字而不知道它的意义，东方人用汉字，所以能够互相了解字句的意义而不会读音。在后者这一情形之下比较容易得到思想和文化的一致，是容易看出来的吧。

上面是把中国字的特征加以极简单化的论述，使人们容易了解它和西洋文字的基本不同。但是立刻会发生这样的问题：对于那些根本不能用图形表现的观念像“绿色”、“良好”等类，中国字如何描画它们呢？所以必需说明的，中国字的象形的作用，在现代只有极小的意义了。第一，原来的图画因为在实际运用中经过简略、歪曲和沿习的关系，现在已经几乎不能看出它们是一些图画了。第二，不能描画的观念不得不随意创造一些符号来代表，例如“十”这一数字。第三，表意文字也不得不有发音的作用。一些青年抄写者假使忘了一个字的写法的时候，是会写下一个同音的字来代替的。而最重要的原因是有些别种文字的专有名词要用中国字来代表。假使有一个外国使者朝见中国朝廷，他说他名字叫做 Babuhai，那么中国史家就不得不用一群表意文字像“白”、“步”和“海”来记录他的名字，而读者看到“白步海”的时候，也就忘掉这些字本来的意义了。古代僧人把印度佛经译成中文的时候，他们就是用这种方法来表现许多不能翻译的梵文的。中国字被作为会意的同时也作为形声的。

不管这些，中国字法在东方的影响比纯粹记音的文字所可能达到的要重大得多。它能够不受方言的拘束。中国某处地方的人写的著作可以给其他地方的人阅读，这里的人念起书来的声音纵使原作者莫明其妙，但是读者却能够毫无困难的懂得作者的意思。中国表意文字在东方的地位，有点像亚拉伯数字在西方的地位。8 - 3=5是各国人都懂的，虽然念起来也许完全不同。不懂德文的人不会知道德国人说“acht weniger drei macht fünf”是什么意思，但是把数学符号写下来就明白了。数学符号和它的读音是没有关系的。即使在一种语言里面也往往有多种的读法。

这一切帮助我们理解为什么地域各异、言语不通的中国人在今天能够不费力的了解各人所写的东西。中国文字的这种性质是这样的动人，所以最近有人提议把欧洲的马路牌子都用汉字写，让一切国籍的驾车者都能够看懂。还有一个热心的提议要把中文作为全世界的文字。

他的理由当然是说，应用中国文字可以不需要学习说中国话，而拼音文字要使全世界懂得，就必需每人都学会一定的读法。一切人都可以像应用数学的和其他的符号一样的应用表意文字，而按照自己的方法去读出它们。

但是，把中国表意文字应用到我们的文字里来，对于像打字机或铸字机等类机械工具的采用是一种妨碍，因为这种文字最通用的还得要二千到四千个。也许现代工艺的需要最后会把这种文字淘汰。但它的历史的和目前的重要性却不能抹杀，而它被远东这许多不同集团的人民采用，曾经创造过、还在创造着一个文化的统一体，这一点已经是它的充足的辩护了。

文字固然重要，但仅仅是文字，还不能说明中国文化的遍布的影响。还有重要的一面是这种文字所写成的文学：这文学的特性和品质。生活在中国文化发源地的黄河流域的先哲，建立了一些思想体系，后来的中国文化就是建造在这上面的。因为这文化直到现在还存在着，所以回溯到过去，来寻求那些曾经使中国人的思想和生活具有一定形式的（现在还有影响的）先哲的观念，是很重要的。

第二章　中国的“人生哲学”

中国的“完全是自己特有的人生哲学”，它的显著的特征不止一种，但其中最显著的一种，是它在政治上的积极的作用。中国政府渐渐的演进和发展了它的特异的形式的时候，它找到了这“人生哲学”，而且利用了它。一个现代中国作家说：

> 作为一个民族的中国人的政治生活的最大特征，是没有宪法和民权观念。这情形之所以可能，是全靠一种特殊的社会的和政治的哲学。它把道德和政治混合在一起，它是信任道德的哲学，而不是信任权力的哲学。要一个“宪法”，那前提就是假设统治者会枉法，会滥用

权力和侵犯我们的“权利”，于是我们用宪法做自卫的武器。但是中国人对于政府的想法恰恰和这种假设相反。中国人把官吏叫做“父母官”，认为他们会像父母对子女一样的关心人民的利益。我们让他们为所欲为，对他们加以无限的信任。我们把无数的钱交在他们手里而不要求他们报账，我们给他们无限权力而不想到要保护我们自己。我们当他们君子。[1]

在中国政府里，那些受了道统的薰陶的人们很有势力，这道统是以纪元前第六世纪到第三世纪间所形成的一些观念为基础的。在纪元后第六世纪时，一种选取政府官吏的考试制度被建立了，这制度一直存在到二十世纪。因为中国官吏大都是从读经书的儒士中选出来的，所以我们对于作为经书的先哲的著作，有知道一些那里面所表现的思想的必要。

纪元前第六世纪到第三世纪的时期，是一个创造的思想大大发展，各派哲学纷纷形成的时代。以周族为

[1] Lin Yutang, *My Country and My People*, p.206.

王的，建于纪元前十二世纪的古代封建制度，开始崩溃了。用劳役和物品的形式缴付苛重的田赋的农民，在许多场合受着压迫的痛苦和分裂的封建王侯互相战争的祸害。这是一个动乱和不安的时代，在这样的时代，人的思想是会被激动的。思想家们重新估计和复述他们认为在中国过去的历史上曾经有过的旧理想，而且努力修饰它们，使它们合于当时的问题。也许他们是企图着创造出适宜于这变换着的时代的新思想体系，因此各种思想派别产生了。这是纪元前第六世纪到第三世纪之间在中国所发生的事。

在孔子（纪元前五五一——前四七九）生活着的时候，那存在了几百年的社会的和政治的制度开始崩溃了。这封建社会，是经过它前期的社会的长期发展而在纪元前第十二世纪的时候建立的；到了孔子的时候，已经被任何封建政体都不可避免的内部分裂所削弱了。忠于周室的封建主们之间的有秩序的关系破坏了，封建王侯们常常互相侵犯。一种改革的精神遍于全国，这种精神在孔子看来它的影响是有害的。他非常的忧虑，于是极力向人民提醒那些他认为在过去非常得力的观念，他认为假使要重建一个合于中国传统的和平社会的话，必需遵循这些观念。

孔子的道理所包含的，大部分是他对于过去已经存在的道理的解释，所以对于产生他所复述的理想的社会，有相当了解是有益的。但是没有人知道在孔子那时候之前，中国人已经在华北内地的平原上安居和从事农业有了多少时候。但假使他们最初曾经是游牧民族——还没有建立他们的发源地——他们也早已忘掉了游牧生活，而且他们的思想和行为的形式，早已带着靠土地为生的彩色，而他们所仰赖的土地，前面已经指出过，那自然条件是并不很好的。祖先必需为了后代的利益改良土地，后代必需继续祖先的努力，而且再为自己的后代打算。土地并不是他们所有，但是他们生活在上面，并且世代相传好像是他们所有的。他们认为统治者对被统治者的态度，最适当的是像一个家长应该关心家里人员的利益的样子。关于早期的统治者的这种家长式的行动，有许多传说和故事。孔子搜集了这些而且用它们来解释他的道理和他对于历史的意见。

孔子的教义包含在《论语》里面，这是在他死后由他的弟子记载下来的。对于孔子学说的真义何在的问题所发生的辩论之多，大概对于任何个人的思想问题所引起的辩论也不及它。一世纪一世纪的过去，许多学者把孔子的教义注了又注，释了又释，而且加以推广，渐渐就形成了儒教——它的教义以古代典籍为基础，但是因各派着重点的不同而有差异。要把孔子的主张言简意赅的指出是不可能的，但是可能指出对于中国法制的形成曾经发生影响的一些观念——虽则在中国历史的过程里有的甚至被歪曲和牵强附会了。

孔子生于社会不安的时代，他担忧着人和人之间的关系。在他的一切关于官场的或家庭的或朋友的关系的检讨里面，他不断的强调“仁”字。这字是“人”字和“二”字组成的，从字面讲是“两个人”的意思，就是两人之间应该有的品德。统治者只有实行这种品德的时候，才能够建立好的政府——就是说，他要把别人的利益包含在自己的利益之中才好。“仁”是孔子所发挥的主要的社交原则；照他看来，人和人的一切关系都逃不了“仁”字——君臣之间，父子之间，兄弟之间，夫妇之间和朋友之间都有。

“仁”这种心术向外表现成为“礼”。“礼”暗示适当的行为，这种行为不能没有某种仪式，但是它又不止是一些规则，一些仪式。

孔子所设立的社会理论是建立在他的“君子”或“仁者”的观念之上的。例如他说：

> 君子义以为质，礼以行之，逊以出之，信以成之：君子哉。
>
> 君子求诸己，小人求诸人。
>
> 仲弓问仁。子曰：“出门如见大宾；使民如承大祭；己所不欲，勿施于人；在邦无怨，在家无怨。”
>
> 子贡问曰：“有一言而可以终身行之者乎？”子曰：“其恕乎！己所不欲，勿施于人。”

虽然孔子生在封建时代，但是他从来没有把上等出身作为“君子”的一个特征。他认为君子应有的品德，是任何人，不管出身如何低下，也能够做到的。虽说如此，很显然的，孔子所希望的并不是那些群众，而是君子，他希望君子们来领导和指挥民众，而不是胁迫民众。

当孔子把他的行为准则应用到政治上的时候，他对于统治者和民众之间的关系曾经表示过这些意见：

> 子路问政。子曰："先之；劳之。"请益，曰："无倦。"
>
> 道之以政，齐之以刑，民免而无耻。道之以德，齐之以礼，有耻且格。
>
> 其身正，不令而行；其身不正，虽令不从。
>
> 善人为邦百年，亦可以胜残去杀矣。

在孔子死后许久，当他的教义已经被官方认为是教育的基础的时候，一些君王和朝臣曾经迫不得已的和一些儒家发生争执。前者觉得要使人民生活得比较好些，单靠一些格言和模范是不够的，必需寻求更实际的办法；而后者觉得，要保全人民的利益，只要君王能够以身作则在道德上成为模范。虽则这种观点很显得软弱，但是统治者必需是值得人民尊敬的人这一观念，使中国人能够免除了把王室的特权视为神圣的迷信。失掉人民的尊敬的王朝最后必然失掉帝位，而被一个新的王室所代替。

孔子主张从政的人应该了解和实行伦理的要义；别样的学问他觉得没有必要。例如：

> 樊迟请学稼。子曰："吾不如老农。"请学为圃。曰："吾不如老圃。"樊迟出，子曰："小人哉，樊须也！上好礼，则民莫敢不敬；上好义，则民莫敢不服；上好信，则民莫敢不用情。夫如是，则四方之民襁负其子而至矣；焉用稼！"

虽然孔子也许把学者和治国者应有的知识的范围看得太狭，但是学问对于他好像生命一样，而且他不是把学问自身作为一个目的，而是把它作为改进人的行动的一种手段。从这一点说，他的观点，本质上是实际的，虽则他甚至抹杀了像"农"和"圃"这样实际的知识。例如他说：

学而不思则罔；思而不学则殆。

温故而知新，可以为师矣。

诵诗三百，授之以政，不达；使于四方，不能专对；虽多，亦奚以为！

由诲汝知之乎？知之为知之，不知为不知，是知也。

孔子的言论实已达伦理的最高水平，但是要想从他的教训里找出为了来世的果报而在今世行善的主张是徒然的。孔子本来是伦理的说教者，而不是神学或足以曲解为神学的东西的说教者。所以后来中国勃起了宗教，或是从国外输入了宗教，或是孔教传到别的国家和那地方的宗教接触的时候，为了他的道理和别的宗教的教义抵触而引起的神学的争辩[1]是少有的。孔子是一个实际的人，他拒绝讨论越出可察的人类行为的范围之外的东西，在判断人类行为的时候，他显出既实际而且合乎常识的态度。例如：

[1] 在中国也有宗教迫害的情形，但这是不能和神学的争辩相混同的。

始，吾于人也，听其言而信其行；今吾于人也，听其言而观其行。

季路问事鬼神。子曰："未能事人，焉能事鬼？""敢问死？"曰："未知生焉知死？"

视其所以；观其所由；察其所安；人焉庾哉！人焉庾哉！

孔子关于个人行动、政府、学问和教育的准则所说的话，前面已经略举其代表的片断；这些话在中国曾经发生了极大的影响。另外，还有关于孝道的教训，对于中国家庭制度的形成，是非常有影响的。例如：

子游问孝。子曰："今之孝者，是谓'能养'；至于犬马，皆能有养，不敬，何以别乎？"

三年而无改于父之道，可谓孝矣。

事父母几谏；见志不从，又敬，不违；劳而不怨。

孔子的道理虽然后来在中国发生了非常大的影响，

但是他活着的时候，不过是许多说教者里面的一个，只有他的弟子才推崇他在别人之上。他死后一百年光景，他的学派还是毫无建树，而别的学派的思想却很繁盛。不睦的各个小国继续争夺和分裂，直到封建政体的最后残余随着战国时代的完结而消灭的时候。在中国事情是急不来的；迅速的采取某种思想和行为的形式，这不是中国法制所由以形成的方法。直到汉朝（纪元前二〇六年到纪元后二二一年），孔子的学说才得到官方的推重而位于别的思想派别之上。但过分着重了孔子教义的某些形式上的特点的结果——例如关于孝、礼，和治学的问题——后来就使中国社会里发生了某种拘泥迂腐的特性。然而另外的一些观念，像儒士的特权，士大夫在政府里的地位，贤君的品德，这些观念使中国法制显示了特征的姿态。

孟子（纪元前三七二——前二九九年）活着的时候，这古国的情形甚至比孔子那时候更动人了。那些小国现在是完全互相分离开来了；它们互相认作异国。像欧洲诸国之间很通行的外交阴谋和战争，在那时候的中国，所谓战国时期之中，也是很通行的。敌对学派的学者在不同的国家里当权，这增加了总的混乱，而且造成了各个王侯国家之间的差异。孟子，这位信仰孔子的最有名的说教者，和一些诸侯讨论过许多问题；这些讨论的记录，展开了那时候的情形的一幅图画。例如：

> 臣请为王言乐。今王鼓乐于此；百姓闻王钟鼓之声，管龠之音，举疾首蹙额，而相告曰："吾王之好鼓乐，夫何使我至于此极也？父子不相见，兄弟妻子离散。"
>
> 今王田猎于此；百姓闻王车马之音，见羽旄之美，举疾首蹙额，而相告曰："吾王之好田猎，夫何使我至于此极也？父子不相见，兄弟妻子离散。"
>
> 此无他，不与民同乐也。
>
> 今王鼓乐于此；百姓闻王钟鼓之声，管龠之音，举欣欣然有喜色，而相告曰："吾王庶几无疾病欤，何以能鼓乐也？"
>
> 今王田猎于此；百姓闻王车马之音，见羽旄之美，举欣欣然有喜色，而相告曰："吾王

庶几无疾病欤，何以能田猎也？”

此无他，与民同乐也。

梁惠王曰：“寡人愿安承教。”

孟子对曰：“杀人以梃与刃有以异乎？”曰：“无以异也。”

“以刃与政，有以异乎？”曰：“无以异也。”

曰：“庖有肥肉；厩有肥马；民有饥色，野有饿殍。此率兽而食人也。

“兽相食，且人恶之。为民父母行政，不免于率兽而食人，恶在其为民父母也？”

梁惠王曰：“晋国，天下莫强焉，叟之所知也。及寡人之身，东败于齐，长子死焉；西丧地于秦七百里；南辱于楚。寡人耻之，愿比死者一洒之。如之何则可？”

孟子对曰：“地方百里，而可以王。

“王如施仁政于民，省刑罚，薄税敛，深耕易耨，壮者以暇日修其孝弟忠信，入以事其父兄，出以事其长上；可以制梃以挞秦楚之坚甲利兵矣。

“彼夺其民时，使不得耕耨以养其父母；父母冻馁，兄弟妻子离散。

“彼陷溺其民；王往而征之，夫谁与王敌？

“故曰：‘仁者无敌。’王请勿疑。”

在孟子的时候，那时代似乎使人们怀疑人是否有依照孔子所主张的伦理原则而行动的能力和志愿。所以孟子一面强调和发扬他的先驱者的教义，一面机巧的和别的思想派别争辩。他反驳另一派所主张的观念——人性是恶的，必需用法律来控制。他说，文化渐渐的发展了，而不管怎样的文化都是人造的；假使这人造的文化包含着任何的善的因素，那么人性当然是善的。例如：

公都子曰：“告子曰：‘性无善，无不善也。’或曰：‘性，可以为善，可以为不善’……或曰：‘有性善，有性不善’……今曰性善，然则彼皆非欤？”

> 孟子曰："乃若其情，则可以为善矣；乃所谓善也。若夫为不善，非才之罪也。……"

孟子关于人的性，关于人的本质的品格的教训，倾向于创造自尊心和自信心，倾向于这样的信念：人的内部具有一些自然的力量，能够使他成为伟大。例如：

> 居天下之广居，立天下之正位，行天下之大道；得志，与民由之；不得志，独行其道；富贵不能淫，贫贱不能移，威武不能屈——此之谓大丈夫。

孔子和孟子关于立身处世的准则的议论和政治上必需应用伦理的原则的主张，只不过表现了中国思想的一面。中国还有所谓老庄思想。庄子有时被人视为老子的信徒。但是老子只是一个传说中的，或许神话中的人物；而且根据考证，那被认为是他所著作的书籍，是纪元前第三世纪的，不是被假定为他的出生时期的纪元前第六世纪的。然而庄子（纪元前三三五？——前二七五？）

的确是一个历史的人物。他对于那时的情形发表了另一观点的意见，广泛的论及许多问题。较之孔子，庄子的态度是比较不实际和矫饰的。例如，他不相信孰是孰非的讨论；他相信是和非最后是趋于一致的，所以其间不能有也不应有显著的区别。他是一个卓越的散文家，他用譬喻和故事来阐明他的意见。例如：

> 庸讵知吾所谓知之，非不知耶？庸讵知吾所谓不知之，非知耶？且吾尝试问乎汝：民湿寝则腰疾偏死；鳝然乎哉？木处则惴栗恂惧；猿猴然乎哉？三者孰知正处？民食刍豢；麋鹿食荐。蝍蛆甘带；鸱鸦嗜鼠。四者孰知正味？援猵狙以为雌，麋与鹿交，鳝与鱼游；毛嫱，丽姬，人之所美也，鱼见之深入，鸟见之高飞，麋鹿见之决骤。四者孰知天下之正色哉？自我观之，仁义之端，是非之涂，樊然殽乱。吾恶能知其辩？

> 劳神明为一，而不知其同也，谓之“朝

三”。何谓“朝三”？狙公赋芧，曰：朝三而暮四？众狙皆怒。曰：然则朝四而暮三？众狙皆悦。——名实未亏，而喜怒为用，亦因是也。是以圣人和之以是非，而休乎天钧。是之谓两行。

庄子对于圣人或学者的观念，和孔子的相反。孔子，如我们所知道了的，他重视实行，他认为圣人必需行道。他自己就曾经被人这样称过：“是知其不可而为之者欤？”但是庄子对于圣人的看法不同。例如他说：

古之真人不知悦生，不知恶死。其出不䜣，其入不距。翛然而往，翛然而来而已矣……

若然者，其心忘；其容寂；其颡頯。凄然似秋，暖然似春。喜怒通四时。与物有宜，而莫知其极……利泽施于万物，而不为爱人。

故乐通物，非圣人也；有亲，非仁也；天时，非贤也；利害不通，非君子也；行名失己，非士也；亡身不真，非役人也。

庄子的学说是受了逃避乱世的观念的影响的——人事纷纭，日甚一日，而仁义道德之说显然无能为力。但是他的学说却不只是遁世的主张而已；它还达到了某种程度的智慧：能够看出一切东西的统一性，大自然的根本的和谐性——正因为如此，它指出斗争的无用。他代表了中国人的另一面。由于那时候中国人已经晓得自己有一个悠长的过去，因而晓得个人在事物的结构里是比较不重要的。他的学说对于中国后来的大艺术家是一个激励，他们所亟力追求的，就是理解和描摹自然的和谐。庄子的卓越的文学风格对于后来的作家也是一个激励。根据他的一派的思想，发生了道教；这通俗的宗教流行很广，它的特色是迷信的花样甚多，它的哲学上的怀疑主义的根源已经丧失了。（在中国，另一通俗宗教是佛教，这是到纪元后第一世纪的时候才被人注意的。）但是庄子的遁世思想对于中国的法制却没有——这是必然的——起什么作用，中国法制的实际的基础，是孔子和他的信徒的学说，还有一部分是法家的学说。

法家相信人性是恶的，所以必需用严格的法律和刑罚来控制，用教育来改造。荀子（孟子同时人）主张这种学说。韩非子也是另一个拥护这种学说的人。一位现代中国作家说：

韩非子否认“父母官”的制度是有效的，因为，据他说，即使父母管理子女，也不是永远成功的，而希望统治者爱百姓胜过父母爱子女，那是不合理的。（他）无情而幽默的提出这样的问题：孔子说了许多大仁大义，但是究竟弄到了多少门徒？既然孔子也不过在千千万万的人民里弄到七十个门徒，这难道不正是仁义无用的明证吗？难道希望一切统治者像孔子似的行仁义，希望一切人民像孔子的七十门徒似的爱仁义，这不是不合理吗？这些话里含有悦人的嘲讽，刻薄的幽默，和充分的理由。

（他）对于当时的弊病的描写颇合于中国现代的情形。那时的官僚和人民的情形跟现代是如此相似，我们在读他的著作的时候简直要忘记他并不是描写现代中国了。他把官吏的腐败和人民的冷淡归罪于法律保障的缺乏，归罪于制度。他不主张道德的教导，他主张立法和改造政治制度。他说一切困难都是因为没有一个“公法”生出来的。他恨他那时候的孔子门徒，称他们为一群空谈的笨货，这说法对于我们现在的“长衫志士”是很适当的。他说因为没有处罚所以鼓励了官吏的贪污。他曾经这样说：“国土虽失而其家富矣。成则当权，败则退而享乐。”（译意）——这些话好像是说的那些下野之后安住在大连或上海的租界里的寓公。[1]

法家一派对于中国西部的秦有特别的影响。在将近纪元前第三世纪末年的时候，秦王改造了他的政府而成为其他王国的威胁。随后他造成了中国历史上第一个统一的帝国；同时，他扫除了封建制度，而给另一种社会的和政治的秩序奠定了基础。

[1] Lin Yutang, *My Country and My People*, pp.209-210.

第三章　秦·汉（纪元前二二一年——纪元后五八九年）

提　要

第一帝国			
时期	政治的、经济的	文化的	人物
秦朝（纪元前二二一——前二〇六）	历史上第一个帝国的创造； 封建制被废除； 巨大的公共建筑开始； 长城被完成； 颁行了法律； 规定了统一的度量衡和工具。	规定了统一的文字； 国家统制学术思想。	始皇帝； 李斯——法家，秦始皇的谋士。
汉（纪元前二〇六——纪元后二二〇）	帝国向西、南和东北发展； 把孔子思想和秦朝建立的法制混合而成的中国式的政治制度之形成； 财富不均的增长； 佃耕制的发生； 北方蛮族的压力。	开发，旅行，和新的接触； 佛教的传入； 孔儒经典的抄写与研究； 纸的发明； 第一部连续的、记叙的历史之写作。	高祖，第一个汉帝； 武帝； 司马迁，史家； 张骞，探险者； 王莽，改革者； 班超，征西域者。

续表

帝国的第一次分裂			
三国（二二〇——二六五） 晋（二六五——四一九） 南北朝（四二〇——五八九）	经济中心移向长江； 世袭的土地贵族的发生； 佃耕制的增多。	佛教的散播； 佛教艺术和佛教文学的发展； 南方的和北方的“野蛮”民族的被同化。	法显大师，旅行至印度的大学者。

秦朝建立了最初的中华帝国，汉朝又加以扩张，所谓“在美丽的希腊和光荣的罗马早已逝去之后，却度过了许多年代”的中国，所谓“消化和改造外来的文明成为自己的东西，吸收异族在自己的血里”的中国，这才开始了有记录的历史。

中国人民的故事，和我们的文化发源地的地中海沿岸和美索帕达米亚一带的人民的历史，是不同的。在中国，没有某一个帝国和某一国人民的兴亡，像埃及人、亚述人、巴比伦人、希腊人、罗马人、高特人的嬗替；也没有形成分裂的国家，像英国、法国、德国、意大利、西班牙；也没有发展成不同的国民文化；在中国只是朝代的兴亡，帝国一再的分裂和统一。在政权更迭之中，文化继续发展着，它受外来的影响而更丰富，但不消失自己的特性。外族侵略者被吸收了，而中国文化继续生存着。它和地中海的文化不同，新的发展不是由于旧文化的灭亡而来；也和日本的情形不同，不是由于整个的采取了新形式；它是由于新旧势力的和缓的交互作用而得到发展的。这个事实不仅是过去的中国的特征，而且在现代还是有意义的。这也是了解中国法制过去的发展道路的一个重要的关键。

朝代的更迭虽然有许多不同的原因，但是在基本上，每一个新朝代的产生总是农民暴动和革命的结果。人民的大部分是农民。当他们的生活和劳动的条件变成不能忍受的时候，他们就流为盗匪，成为反抗力量的核心，于是或迟或速的推翻了皇室，并且建立一个新的朝代。新朝代因为要依靠农民的支持才能生存，于是行使一些改良农民生活的办法，同时对于商人、地主和官僚的活动加以扼制，因为他们共同的——有时某一个人兼有三种身份——压迫人民，榨取他们：操纵谷物的价格牟利，垄断土地的使用，获取地租，增加赋税，以便在解上去之前中饱一份。在每一个朝代的历史上，最初努力扼制这些活动的设施，后来总是废弛了或完全放弃了的，人民因而又受着上述结合的剥削形式的压迫——于是他们又暴动起来，最后造成了一个新的王朝。这不是认清革命权利的自觉的表现，这是一个反复经受痛苦的阶级的自发的暴动。下面我们就要说到，今天的中国正经历着一个革命的阶段，这革命还没有完成，部分的是因为农民的落后。反动势力是做到了使中国未完成的现代革命受了一再的挫折——但是它们并不能结果掉它。

建立于纪元前二二一年的第一个帝国，并不是农民革命的产物。恰恰相反，它主要的是由于那些国家主义式的诸侯国的商人的支持而产生的，因为他们希望在一个集中的、统一的国家里贸易，可以增加他们的财富。甚至在孔子之前，商业资本——就是说，在商人手里的资本积蓄——已经出现了。

战国时代的各国正像现代欧洲各国那样的国家主义式，和互相猜忌。每一国都建立了抵制别国的贸易障壁。商业资本不能如它所愿的广泛而自由的活动，但在每一个小国里，商业资本的作用在破坏着妨碍商业的封建机构。因为土地是最值钱的商品，所以有钱在手里的商人就想购买土地，但在世袭的封建制度之下土地是特权者的财产，他们要购买是不容易的。不过即使在第一个帝国——它是非封建的——建立之前，有些小国已经不得不准许土地的买卖了。在这些小国里封建制度是在消灭着。

在这种情形之下，最繁荣的小国会压倒别的小国，是显然的。在西部的秦国，它的领土大约在现在的陕西，它正是特别繁荣的。在它的领土上有那时候最大的运河；因此运输比较便利，而且运河灌溉了急切需要水份的黄土。生产增加了，一则是因为广泛的利用灌溉的方法，再则是因为比较通用了铁犁。在那时候，各国并不是不知道铁犁，只是没有一国像秦国这样普遍的应用它。生产既然增加，就有剩余的谷物可以出卖，因此就积蓄了财富。较大的商业和较广的市场的需要发生了。而且，秦国还有比别国所用的铜制武器优良些的铁制武器。即使秦国没有其他足以制胜别国的条件，它有控制它们的目的和手段，我们是看得到的。

而况秦还有其他的力量。大运河造成之后是必需加以管理的。但这不得不由国家管理；它不能让那些只管自己的土地的封建主管理。封建制度是不再需要了；它甚至成为统治的障碍，于是秦王——后来是他创建秦朝的——废除了封建的土地所有。他由于李斯——据说是荀子的弟子——的劝告，依照新路线组织了他的国家，设立了适合于新形势的新法律。这样，秦国不但繁荣，而且有组织化的和集中化的政府。因为有增长着的财富支持他的事业，有控制得很巩固的国家做他的后盾，秦王就率领他的武装较优的军队进攻邻近的诸侯，而渐渐的征服了一切敌国。在这些诸侯国里，有那些认为一个集中的统一的中国会把他们所渴望的机会给他们的商人欢迎他。纪元前二二一年，秦王就统一了中国而自称“始皇帝”。

始皇帝怕那些诸侯的土地上留着旧日王族的影响，就照他自己国里做过的那样把封建制度的残余扫除了。战后还活着的王侯被剥夺了采地。旧日的疆域废除了，新帝国划分成各个区域，由政府委派的官吏治理。旧日的地方法令和习惯废除了，代替的是严厉的秦法。各地方的文字被命令废除，而选择了一种标准的文字。地方军队被解除武装和解散了。无数失了土地或失业的人被利用来建造皇帝所计划的巨大工程，例如长城就是那时候完成的。在秦始皇短短的十一年统治的末年，长城的各段——以前的是诸侯所建造——连接起来了，这才成为自海至群山、长约一千余英里的伟大的建筑。这工程是强迫劳动的产物，是在一种难以相信的艰难而痛苦的条件之下的强迫劳动。

为了实现他的使生活的各方面都标准化和有秩序的企图，始皇帝运用了一切时代的独裁者都运用的策略。他企图统制思想，和灌输给人们他所欢喜的确当见解。他的谋士李斯说：

> 古者天下散乱，莫之能一；是以诸侯并作，语皆道古以害今，饰虚言以乱实；人善其所私学，以非上之所建立。

为了担心这现象的再发生，李斯劝秦始皇把一切书籍都毁掉，除了那些关于医药、天文和农业的。因此许多经书就被收集来烧掉了。讨论政治是禁止的，愿意研究学术的人要在官吏的监视之下研究。

秦始皇统一了中国，创造了第一个帝国。他提倡一种标准的文字给未来的统一文化安置了基础。但是他想毁灭他所认为危险的思想，却没有成功。许多书被烧掉了——但不是一切的书。能够记得别派学说的学者还活着。而且，因为他的帝国不是靠农民的支持而建立的，他没有特别注意他们的利益。结果，人民很快的叛乱了。秦朝建立于纪元前二二一年，但在始皇帝死后差不多四年，就是纪元前二〇六年，就灭亡了。

推翻秦朝的叛变的领袖是刘邦，出身农民。他后来成为汉朝的第一个皇帝，谥号高祖。他和他的将军们推翻了秦始皇的儿子，而且征服了那些想恢复旧国的王侯子弟。当他获得了权力的时候，高祖发表了一个表示他的政见的声明。《汉书》上说：

> 高祖先诸侯至霸上……召诸县父老豪杰曰："父老苦秦苛法久矣。诽谤者族，偶语者弃市。吾与诸侯约：先入关者王之；吾当王关中。与父老约法三章耳。余悉除去秦法。吏民皆案堵如故。"
>
> 高祖约法三章曰：杀人者死；伤人，及盗，

抵罪。

著述了第一部有系统的中国史的有名的史家司马迁（纪元前一三六？——前八五？）描写汉朝初年的情形说：

> 汉兴，接秦之弊。丈夫从军旅，老弱转粮饷。作业剧，而财匮。自天子不能具钧驷；而将相或乘牛车；齐民无藏盖。

他描写了汉初的统治者所碰到的各种经济问题之后，接着说：

> 至今上（即武帝）即位数岁，汉兴七十余年之间，国家无事，非遇水旱之灾，民则人给家足。都鄙廪庾皆满；而府库余货财。京师之钱累巨万，贯朽而不可校。太仓之粟，陈陈相因，充溢露积于外，至腐败不可食。众庶街巷有马，阡陌之间成群……守闾阎者食粱肉……

故人人自爱而重犯法，先行义而后绌耻辱焉。[1]

汉朝延续了近四百年。这里没有必要详述它的兴衰、它的繁荣和它的经济危机。大概的说，汉这一时期是创造一个扩展的、巩固的帝国的时期。对于人民以及对于以后的历史，影响最大的社会发展是：疆域扩张，因而发生和外界的新接触，政府也因而有新的大量支出；以贫富区分的新阶级关系的产生，连带着土地所有者的产生和佃农的增加；大规模的水利工程的开始；孔子学说对于政治的影响的巩固，连带着统治平民的法律的施行；以及造纸的发明。

汉初的皇帝在他们的行动和政策上表示出他们理解集权的统治对于一个朝代的延续是重要的，但是他们也很知道封建的情操是不能无情的加以毁灭的。他们准许了重建一些封建的采邑，但是很小心的把那些采邑包围在皇室的土地之中。他们不把土地封赐给将军，以免产生足以威胁皇朝的新的封建军权。然而他们不能阻止半封建的土地所有制和佃耕制的发展，这种发展是贫苦阶

[1] Giles，Herbert A.，*Gems of Chinese Literature*，pp.59-61.

级负担了太重的赋税的结果。而汉帝国扩张的时候，赋税和军役的需求也就更加繁重。

在秦始皇帝的压迫之下隐匿起来的士人又活跃了，有的做了皇家的咨议，有的做了小官。新政权的领导者们自称尊孔，而为了支持新政权，于是引用了孔子忠君的教义。同时，汉朝的君主们和大臣们觉得对于平民有施行法律的必要了。这法律虽不像始皇帝的那么严厉，但法律总归是法律。《汉书》上曾有记载，大意是说，跟着时间的推移，再加蛮族在边境侵扰，必需和他们战争，所以“三章”的约法已经不足以应付一切罪恶。于是宰相研究秦法，取它的适合的作成法律九章。

汉文帝（纪元前一七九——前一五六年）当朝的时候，有一个出色的大臣叫做贾谊的，呈上了一篇很长的奏疏，其中说：

凡人之智，能见已然，不能见将然。夫礼者，禁于将然之前；而法者，禁于已然之后。是故法之所用易见，而礼之所为生难知也。……然而曰礼云礼云者，贵绝恶于未萌，而起教于微眇；使民日迁善远罪而不自知也。孔子曰："听讼，吾犹人也；必也使毋讼乎！"……故世主欲民之善，同；而所以使民善者，或异。或道之以德教，或殴之以法令。

贾谊指出秦朝因为藉法律和刑罚以维持统治，所以不免于灭亡；而警告皇帝要制止那时候日渐增长的多用刑法的倾向。他尤其极力反对把刑罚施于上等阶级，他说：

人主之尊譬如堂，群臣如陛，众庶如地。故陛九级上，廉远地，则堂高。陛无级，廉近地，则堂卑。高者难攀，卑者易陵，理势然也。……俚谚曰："欲投鼠而忌器。"此善谕也。鼠近于器，尚惮不投，恐伤其器；况于贵臣之近主乎！廉耻礼节，以治君子；故有赐死，而无戮辱。……夫尝已在贵宠之位，天子改容而礼貌之矣，吏民尝俯伏以敬畏之矣；今而有过，帝令废之可也，赐之死可也，灭之可也。若夫束缚之，系绁之，输之司寇，编之徒官，司寇小吏詈骂而榜笞之，殆非所以令众庶见也。

据说这奏疏给了皇帝很深的印象，他就着手提高大臣的尊严。有一个很长的时期，官吏的拘禁是被废止了的。然而，正式规定的法律和包含在“礼”之中的传统伦理观念所形成的不成文法律之间的冲突，还是继续着。在武帝即位后，那时应用着的法典上单单关于死刑就有四百零九条，并且列出一千八百八十二种应处死刑的罪过，还举出了一万三千四百七十二个实例。从这时起，法律的执行和刑罚的处分就变成政府的一部分被公认的工作，它特别是对付人民的，至于那些被认为知法的官吏则可以逍遥法外。

儒士们虽然不赞成皇帝们采取法令的方法，但他们很乐意于他们的特权地位而继续用孔家的大道理辅佐着皇室。这样，汉朝由于对那许多冲突的因素——封建残余，法家思想，孔子教义，和实际情势——的让步，它的统治就建立了起来而且维持了下去。

在新的集中的统治之下，因为要把赋税所得的谷物运到京师和运给军队，于是开凿了意义重大的河渠，特别在现在是陕西和河南一带的地方最多。

纪元前一三四年到纪元前一三一年之间，农事大臣……提议要开一条长约三百余里的运河，连接首都长安和黄河，这样就可以使运粮所经的水路缩短三分之二，而节省时间二分之一。

在提出这奏议的时候，这位大臣很仔细的指出这个计划的双重目的。中国的大多数的水利事业的意义都是这样的。他说除了运输之外，这运河“还可以用来灌溉差不多四万顷的民田”。所以，他认定是：“这可以免除运输（的困难）和节省兵卒的工作，而且还可以因为使土地肥沃而获得（额外的）谷物。”[1]

武帝赞许这计划；据历史上说，他遣派了几万兵卒从事开凿，三年而成。这样就开始了伟大而广泛的水利工程，后来，它在中国历史上起了极重大的作用，对于中国人民既是一重负担也是一种利益。

汉帝国受着那长城以北的草原上的游牧民族匈奴的威胁。长城虽则是防御侵略的重要壁垒，但单是长城

[1] Chi，Ch'ao-ting，*Key Economic Areas in Chinese History*，pp.81-82.

而没有守军的话，是不能保卫国家的。于是很困难而很耗废的供养了大军驻守在长城一带的荒凉地方。武帝一朝的特点就是和这些北方侵略者的顽强斗争。武帝遣派军队向东北方和西方推进，为了寻求从侧面夹攻敌人的同盟者。他派出了探测者和冒险家到那些以前完全不清楚的地方去联络当地居民做同盟者。有个张骞，是受了这种使命到西方去的，被匈奴捉住拘禁了十年。逃出来之后他还继续西进，一直达到亚历山大大帝的帝国的边境。他在这里看到了像四川出产的布和竹子，于是相信一定在南方有一条通过四川的群山而达到大陆内地的道路。他没有劝那内地居民和中国人联合对抗匈奴，但是他回来——又受到一次拘禁——之后，力劝武帝把那条南路勘明。这使武帝的注意移转到扬子江以南的地域，——那时还不是中华帝国的一部分——而几年之后，目前是广东、广西和云南之一部的那些地方，就加进了汉帝国的版图。

武帝还寻求着同盟者，又派一支军队到北部高丽，于是把这地方也并入了他的帝国。这一次远征对于日本比对于中国重要得多。因为中国文化的影响就从汉帝国的这一前哨向南传播而最后达到日本，供给了后来日本人的文化所根据而发展的东西。

并入汉朝版图的领土特别是伸入土耳其斯坦沙漠的部分，它们之被视为重要，主要的是因为把它们作为牵制匈奴的手段。当匈奴蛮族内部分裂，因而对于汉帝国的威胁减轻的时候，西部的新领土就不被注意了。这样有好多年。张骞使西域之后二百十一年，又有一位将军叫做班超的，出发到西域去。纪元后九十七年时，他率领一支军队达到了里海沿岸，而胜利的使塔里木河流域的全部地方归服了中国。中国虽则绝没有和罗马帝国接境，但是中国人很知道这个帝国，而且通过近东的居民，把罗马所渴求的丝输送给它。

很明显的，汉朝中国人的眼界是大大的扩张了。商队带着丝，从向西去的很长的陆路运输到帕提亚，而由帕提亚人送到罗马。中国的桃树和杏树也从这条陆路传到了欧洲。中国人则从西域的平原获得了他们所需要的马，从山里获得了他们所异常珍贵的玉石。中国的产物也从陆路和海道达到印度再输入近东和地中海的国家，在这一时期中，中国人第一次旅行到了印度的水陆路。

贸易增加，因而财富也增加了。贫富的区分代替了封建的出身的区分。暴发户成了奢侈品的主顾。现代考古学的发掘在北部高丽发现了汉代的遗物，里面有些汉制的金饰、玉饰和铜器，约略可以看出当时的富人所占有的物件是如何讲究。

由于贫富的区分越来越大，由于领土扩展，边事不息，政府的耗废日增，所以司马迁老早所说过的那种情形，已经更严重、更深刻了。司马迁说的是：

> 当此之时，网疏而民富；役财骄溢，或至兼并豪党之徒以武断于乡曲。宗室，有土，公卿，大夫以下，争于奢侈。室庐，舆服僭于上，无限度。物盛而衰，固其变也！
>
> 自是之后，严助，朱买臣等招来东瓯，事两越，江淮之间萧然烦费矣。唐蒙，司马相如开路西南夷，凿山通道千余里，以广巴、蜀。巴蜀之民罢焉。彭吴贾灭朝鲜，置沧海之郡，则燕齐之间靡然发动。及王恢设谋马邑，匈奴绝和亲，侵扰北边，兵连而不解，天下苦其劳，

而干戈日滋。行者赍，居者送，中外骚扰而相奉。百姓𢇛弊以巧法，财赂衰耗而不赡。入物者补官，出货者除罪。选举陵迟；廉耻相冒；武力进用；法严令具。[1]

司马迁所指出的这些由于扩张领土而得到的坏影响，还不是商业发达和对外接触增加的结果的全部。新的接触带来了新的影响。从西方传来波斯和希腊的艺术的影响。从南方传来了佛教，虽则它在汉代还没有获得什么成功。佛教着重虔修来生的幸福，这对于中国的思想是生疏的；它的清净无为的教训也不适合于一个相当安定的时代；而独居参禅的人生观，在重视家庭的传种接代的人民里，也是不能获得什么响应的。佛教在中国获得广大的影响，是在汉朝倾覆之后，中国的情形发生了变化的时候。

统治者们所遇到的政治问题比从前的大了。他们虽则重视孔儒关于政治的主张，但是他们觉得——如前面所指出——法家着重法律的主张，对于统治一个大

[1] Giles, Herbert A., *Gems of Chinese Literature*, pp.61-62.

帝国是有用的。在战国时代喧腾一时的人与人之间的关系的问题，这时候是没有多大兴趣了。学者们大都专心于抄写和研究前代的文学。因为所谓前代的文学大部分是根据孔子学说的东西，所以所谓学问就渐渐的成为特指孔儒的经典的知识了。汉帝们把这些经典规定为官吏的教育的基础。发生于社会不安的时代的孔子学说，这样就在社会稳定的时代作为“钦定的”准则而被采用了。这算是这一个虽然具有形式上的仪节而内容其实丰富得多的——如我们先前所说过的——学说，开始公式化的起点。这样，前一时期的创造的思想，到了汉朝就结晶化了。

汉代的一个产生了深刻影响的进步，是造纸的发明。对于一个极其重视读书的文化，纸是有决定的重要性的。抄写在纸上比在丝织物上或竹片上容易，因而能够做出更多的书。没有纸，印刷是不可能的，正因为发明了纸，这才具有了中国后来发明印刷的物质需要。造纸的秘密很缓慢的向西方传去，直到中国发明了纸之后一千年，才达到欧洲；而中国广泛的应用了印刷之后五百年，欧洲人才发明了印刷。

战争的耗废，治理广大的帝国所需要的浩繁的费用，以及贫富的区分的增大，这些造成了一次巨大的事变。在纪元后第一世纪初年，王莽篡位的事情发生；他是太后的亲戚，而且是摄政王，他自立为天子，而进行一种进步的经济改革。他反对那些为数日多的、出租土地给贫农的大地主；宣称一切土地属于国家，而且下令把土地分给耕种者。他主张商业和实业要由国家统制。他的目的是要在国家管理之下比较平均的分配物产。当然，他受到了一切富人和权贵的反对，于是，在纪元后二十三年，他被那些反对他的政策的叛变者杀掉了。汉朝又继续了下去，但是刘邦的一族被另一族姓刘的代替了。这里提到王莽，有几个原因。在那样早的时候会有那样进步的经济统制的计划，这一事实是很有兴趣的。其次，经济的区分发展到这种程度以致引起革命——虽则只是通过一个个人而计划和执行的革命——这一事实，也不是没有兴趣的；它反映了当时人民的生活情形。还有，王莽的实验并没有被忘记，在很久以后又有改革者进行了差不多同样的计划。再则，在这重视过去而且欢喜在历史上寻找自己行动的前例的民族里，王莽的实验对于现在在中国有人赞助的某种现代的改良，会是一个历史上的权威。

汉朝衰亡的原因这里本来没有追究的必要，但是它的倾覆的情形足以代表以后朝代更迭的情形，所以略加论述。像前面所指出的，那基本的原因是在几种互相结合的剥削形式——前面已经叙过——之下，人民的困苦一天天加剧。初期的皇帝们是很实际的人，对于人民生活有直接的知识，他们知道对于拥他们上台的集团的利益有维护的必要；他们的统治是有力而聪敏的。但是他的承继者却是生长在宫殿里的，依照所谓礼仪家法教育出来的，缺乏对于外界情形的直接知识，忘记了人民给他们的好处。大臣们只是官样文章的做些报告；国策的决定和官吏的任命往往受宫廷阴谋的左右。农民们落在地主一商人一官僚的手里，当他们被逼迫得破产的时候，就去做流寇。在这些条件之下，汉帝国就崩裂了。

使汉朝崩溃的其他因素，是蛮族的侵扰。这对于后来的王室的灭亡也有同样的作用。北方的野蛮民族从来没有被中国征服；他们会被制止住，被赶出去，或是被贿赂了退出中国，但是他们却总还是存在。当中国衰弱的时候，他们就跑进来暂时的统治了中国的一部分。汉亡之后，帝国分裂了差不多四百年。在这一时期内，有些小国时常受着非中国人的侵略者的统治。这些非中国人的君主和他们的臣仆渐渐的受着中国文化的影响；而同时，中国文化的中心被逼向南移到了扬子江流域和扬子江流域以南。这地方的居民从前是自称“蛮子”的，他们经过这长久的分裂时期变成了百分之百的中国人。这样，汉朝的崩溃却影响了中国边境的人民，使中国文化的透切的影响力能够达到了被认为“野蛮”的人民。在欧洲，差不多同时，北方的蛮族像潮水似的冲来淹没了罗马文化。但在中国，一则因为侵略者的人数要少得多，再则因为侵略者对于中国文化不是完全陌生的，所以没有发生这样被淹没了的情形。相反的，野蛮民族倒被吸收了。中国人的种族成份受了影响——而中国文化继续着。

汉亡之后的四百年，政治分裂的初期，叫做“三国”时期，这是因为汉朝分裂成魏蜀吴三国而得名的。这些国家互相之间的战争以及各国内部的战争，后来做了一些通俗的说故事者的故事的题材。在中国的戏剧、小说、故事和诗歌里常常描写那些英雄和恶汉；通过一些说故事的人的长篇故事，历史就更广泛的传入了民众。那些口头的历史故事到十四世纪的时候被写成了小说，叫做《三国演义》，直到现在它还是在中国大众里最通俗的一本文学作品。这描写了冒险、阴谋、计策和战斗的长篇故事，也许没有多少历史的正确性，但是它表现了人民对于那分裂时期的印象。例如，一个谋士献计给他的主帅，那计策可以说是那时流行着的阴谋的典型：

> 可暗令人往袁术处通问，报说刘备上密表，要略南郡。术闻之必怒而攻备。公乃明诏刘备讨袁术。两边相并；吕布必生异心。此驱虎吞狼之计也。[1]

关于那些割据的诸雄如何计议征讨以建立军权的描写，使我们可以看出那时候的情势：

> 至来年春，孙权商议欲伐黄祖。张昭曰：

[1] *San Kuo*，translated by C. H. Brewitt-Taylor，Vol.1，p.142.

“居丧未及期年，不可动兵。”周瑜曰：“报仇雪恨，何待期年。”权犹豫未决。

适北平都尉吕蒙入见，告权曰：“某把龙湫水口，忽有黄祖部将甘宁来降。某细询之。宁……颇通书史，有气力，好游侠；尝招合亡命，纵横于江湖之中，腰悬铜铃，人听铃声，尽皆避之……

“后悔前非，改行从善。引众投刘表，见表不能成事，即欲来投东吴，却被黄祖留住在夏口……都督苏飞屡荐宁于祖；祖曰：宁乃劫江之贼，岂可重用！

宁因此怀恨。苏飞知其意……宁因此得过夏口。欲投江东，恐江东恨其救黄祖杀凌操之事。某具言主公求贤若渴，不记旧恨……宁欣然引众渡江，来见主公。乞钧旨定夺。”

孙权大喜，曰：“吾得兴霸，破黄祖必矣。”遂命吕蒙引甘宁入见。

参拜已毕，权曰：“兴霸来此，大获我心，岂有记恨之理？请无怀疑。愿教我破黄祖之策。”

宁曰："今汉祚日危，曹操终必篡窃。南荆之地，操所必争也。刘表无远虑，其子又愚劣，不能承业传基。明公宜早图之；若迟则操先图之矣。今宜先取黄祖；祖今年老昏迈，务于货利，侵求吏民，人心皆怨。战具不修，军无法律。明公若往攻之，其势必破。既破祖军，鼓行而西，据楚关而图巴蜀，霸业可定也。"[1]

有一处描写主帅下令保护农民的谷物禁止行军的兵士践踏，这一段很有趣；使我们可以看出那时候的不安定的情形以及人民生活所受到的影响：

行军之次，见一路麦已熟，民因兵至，逃避在外，不敢刈麦。操使人远近遍谕村人父老，及各处守境官吏曰："吾奉天子明诏，出兵讨逆，与民除害。方今麦熟之时，不得已而起兵，大小将校，凡过麦田，但有践踏者，并皆斩首。军法甚严，尔民勿得惊疑。"百姓闻谕莫不欢

[1] *San Kuo*, Vol.l, pp.405-406.

喜称颂，望尘遮道而拜。官军经过麦田，皆下马以手扶麦，递相传送而过，并不敢践踏。[1]

三国之后接着是晋朝，而晋不久又亡掉，于是分裂成南、北朝。在这时候，新的文化势力在中国很热闹。孔子的学说虽然还被尊敬，但是比在汉朝作为官吏教育的基础的时候已经失势得多了。现在任命儒士做官的事虽然没有完全废止，但孔儒却没有一个强盛的皇室给它特权了。许多不同的因素使中国对于佛教的兴趣增加了。这时代是印度佛教在中国传播的时代，许多热心的传教师从印度来到了中国。佛教的文学和艺术吸引了有教养的人的注意，他们把这些作为新的刺激物而从事于研究，翻译和创造的表现。中国学生旅行到印度去研究，而带回了佛经。其中最著名的是法显，他在三三九年出发，从陆路步行，越过喜马拉亚山达到印度，十五年之后才从海道回国，回国之后写下了他的艰难危险的旅行的详细而动人的记录。中国学者们翻译了佛经，又开始写作了他们自己关于佛教的评注和理解。

[1] 同上书，Vol.l，p.182.

中国雕塑家做了许多佛像装饰在岩穴和寺院的墙壁上。中国画家产生了受着佛教艺术的影响的绘画。佛教传播在民间，也许是，在那不安定的时代，现世似乎寻求不到安全和慰藉的时候，佛教对于来生果报的强调，会特别投合人心吧。

在这政治分裂的期间所发生的变化，还不仅是新势力的昌盛。地方的官吏和地主，因为没有强有力的集中的统治来约束他们，他们就扩张了权力。他们在某些区域，特别是在南方，建立了对于土地的世袭的统治权和所有权，要求种田的缴纳物品地租，像从前的封建地租那样。虽然人民并不要向地主表示封建的忠节，而且封建制度的思想形式也没有复活；但是半封建的佃耕制的经济形态，比在汉朝的时候更广泛的展开了，阶级之间的社会的区别，又出现了。这些发展，在那种财富的来源是土地而且政治的分裂时时发生的情形之下，是不可避免的，它们在中国历史上曾经一次又一次的出现。它们在现代也可以看到，地主的剥削，佃农的贫困，和农村的负债，这些结合起来形成了中国的最严重的国内问题。

在这接着汉的灭亡而来的分裂时期之后，中国又一次统一在一个皇帝的治理之下了。这个统一的帝国和汉不同。野蛮民族被吸收了，所以，中国人种的构成是改变了。经济中心南移到了长江流域；思想，艺术的表现，和人民的生活，都已经受了外来势力的影响；而一个新的世袭的上层阶级，在中国的某些区域获得了很大的力量，改换了汉代的比较民主的社会条件。

第四章　唐·宋（五八九年——一二七九年）

提　要

第二帝国			
时期	政治的、经济的	文化的	人物
隋 （五八九——六一八）	选取官吏的考试制度的开始； 隋运河的完成。		炀帝
唐 （六一八——九〇七）	帝国的扩张和官僚政治的巩固； 扩张了考试制度和规定了科举的历程； 商业和新接触； 重分土地与耕者； 入后，限制大庄田的法令的废止和因而发生的佃耕制的增多； 谷物运输的全盘组织和新水道的开建； 边境战争。	佛教的吸收和改造； 诗和文学的黄金时代； 长安作为亚洲的文化中心。	李白，诗人； 白居易，诗人； 杜甫，诗人； 玄奘，佛学家； 韩愈，散文家； 安禄山，造反者。

续表

帝国的第二次分裂			
五代 （九〇七——九六〇）	混乱。	印刷术的发明，第一次被应用在大规模印刷事业中。	冯道，督率印刷儒经的官吏。
第三帝国			
宋 （九〇七——一一二七）	帝国较小，北方有蛮族国家； 南方的运河建凿； 由海道和亚洲人民接触； 经济的难题和改革的实验； 保护佃农的最初的法律； 帝国被北方蛮族逐渐驱向南部。	印刷作为一种手工艺术的发展； 瓷器制造的改进； 宋代画家的伟大艺术品； 哲学的定式化。	王安石，改革者； 朱熹，哲学家。
帝国的第三次分裂			
南北的分裂 （一一二七——一二七九）	宋朝被迫至长江以南，建都杭州； 北方被先后踵接的侵略者所控制。	侵略者被同化成中国型。	

从第六世纪末到第十三世纪末，中国的政治的摆动，比以前都要剧烈——它向着两个方向。这七个世纪里有一个时期，这帝国是世界上最大的；最后它被蒙古人所征服。

在这七个世纪里，接二连三的许多北方侵略蛮族都一个一个被吸收了，成为中国文化抵御后来的侵略者的屏障。在这七个世纪里，中国的创造天才达到了新的高度。中国文化的消极的和积极的双方面，都空前未有的表现了自己。

在这有趣的时代的初年，隋朝的君主为了巩固他们自己和创造一个统一的帝国，企图破坏那些新的世袭的土地贵族的独立权力。为了这个目的，设立了有组织的考试制度来选择政府的官吏。在汉朝的官场里，读书人原是很重要的，但是他们并不是通过有组织的、竞争的国家考试选出来的。这个开始于第六世纪的考试制度，后来经过了许多的改变，但它一直存在到廿世纪。

隋朝的君主知道长江区域的经济的重要性，但是他们愿意把京都建在中国政府传统的中心地的北方。为了从南方运输作为赋税的粮米的便利起见，他们就下令兴凿从长江以南到都城长安的大运河。这巨大的工程包括开辟新的河道把过去所开的一段一段的运河连接起来，成为一条直达京都的水道。一个权威的中国作家说，运河“吸引了十余世纪以来中国的最优秀的头脑的注意，而为了改进和维持它，耗废了不知几百万的人民生命和这国家的大量财富。它的历史跟灌溉和防泛的全部历史以及肥沃区域的发展是密切的结合着的”[1]。

要求完成这巨大的计划的君主，是炀帝；他——

> 正如一个聪明的评论家所说：“促短了他的朝代的寿命许多年（由于大规模的建设的浪费），但是裨益了万代子孙。他为政不仁，但是不朽的业绩却要归功于这不仁之政。”这里只要再加一句，就是，在中国的半封建的时代里，政府的一切不朽的业绩，实际上都是君主的不仁和大众的受苦的结果……
>
> 由于运河的工程非常巨大，所以人民受苦甚重，这种异常的虐政特别吸引了历史家们的注意。关于隋运河之中最长的一段——汴渠的开凿的工作情形，在一本匿名的作者所著的《开河纪事》里有详细的记载。其中有如下的有趣的话：

[1] Chi, Ch'ao-ting, *Key Economic Areas in Chinese History*, p.113.

> 天子下诏把十五岁至五十岁的一切男丁集合起来。逃役的人一概处斩……所以总共集合了民伕三百六十万人。又命令每家派一个小孩，或一个老人，或一个女子替伕子做饭。又命五千精壮勇敢的兵士拿了棒（维持纪律）。连段长和官吏等合计起来，共有五百四十三万人之多……
>
> （当工作完成了一部分之后，）计算一下工作者的人数，有二百五十万民伕和二万三千兵卒已经没有了。[1]

从被怨恨的隋朝夺过天下来的唐朝，它对于隋的改革所取的态度，和汉对付秦始皇帝所开始的改革的态度相似。在唐朝治下，考试制度巩固和扩张了，但同时，对于分裂期间所产生的世袭的贵族加以某种认许。这个集团的分子被给了高级的职位，不过他们的收入却不能直接从他们所领有的和出租的田庄获得。相反，他们只能得到人民缴纳给国家的赋税的一部分作为俸禄，俸禄

[1] Chi，Ch'ao-ting，*Key Economic Areas in Chinese History*，pp.122-123.

的多少依职位的高下而定。在六二四年，土地被重新分配过，每家可以永久所有一块田地。为了防止大田庄的产生和取缔转租给佃农的行为，所以限制了土地的购买。但是有钱的人还是可以作弊的；他们由代理人经手购买了许多土地，再出租给佃农。到七八〇年，从前的关于土地和赋税的法律显然是失效的了，于是改变了制度。税率依照财产的多寡而定，至于每人占有的田产的数目是不加以限制了。佃耕制大规模的再现了。但对于土地的购买并没有阶级的限制；农民和贵族一样可以收买土地成为大田庄——只要他有钱。中国社会虽然有阶级区分的存在，但是因此沾染着某种的民主主义，它对于人民的影响是很重要的。

选择官吏的考试制度也有它的民主主义的作用。为了削弱世袭的贵族的权力，准许合格的儒士插足贵族阶层的较低的等级，而且给他们提升至高级的希望。从理论上说，任何人——不管他的出身——都可以成为一个合格的士人，因而可以从下面爬到上面；但是富人的子弟当然比农民的子弟有更多的机会获得教育。然而在中国的家族制度之下，以及在一个村庄里存在着密切的家族联系的情形之下，对于有希望的农家子弟的教育，往往是一个家族甚至一个村庄的责任，而不单单是父母的责任；在许多村庄上，这样由各个有关系的人家凑合起来的财力是可能培养出一个及第的士人的，而这士人的成就也是赏识和扶持他的集团全体的光荣。虽则士人阶层的位置可能被上等阶级的人占据了大部分，但是机会的门是并没有关闭的。因此这整个制度获得了民众的支持。而且，通过这制度，中国社会受到了经常的但是迟缓的破坏——好像是破坏，而严格的世袭的阶级区分的发展，受到了阻碍。

长期的钻研，严厉的考试，和读书人对于踏上仕途的艰难所引起的感想，这些成了许多中国诗人的题材。例如唐代大诗人白居易（他自己是一个卓越的官吏）说：

十年常苦学，
一上谬成名。
擢第未为贵，
贺亲方始荣。
时辈六七人，

送我出帝城。
轩车动行色，
丝管举离声。
得意减别恨，
半酣轻远程。
翩翩马蹄疾，
春日归乡情。

有一部最著名的古典戏剧，写作于十三世纪，但它讲的是唐朝的生活，那里面有个士人唱着：

游艺中原，
脚跟无线
如蓬转；
望眼连天
日近长安远。
向诗书经传，
蠹鱼似不出费钻研；
棘围呵，守暖！

铁砚呵，磨穿！
投至得云路鹏程九万里，
先受了雪窗萤火十余年。[1]

从士人里选出来的州郡官吏是常常这里那里的迁移的；他们在每处地方的通常的任期是三年。他们常常是离开了朋友甚至家庭，在外面度过他们的生活的大部分。中国诗歌里有许多说到游子所经验的孤独和对于久误归期的失望。例如：

少小离家老大回，
乡音无改鬓毛衰。
儿童相见不相识，
笑问客从何处来！

岭外音书绝，
经冬复历春。
近乡情更怯，

[1] Wang Chi-chun, in an unpublished translation of *The Western Chamber*.

不敢问来人！

唐代生活的经济基础——像中国历史上的别的时期那样——是谷物。但是因为唐帝国的更大的扩张，新的经济问题发生了。谷物的运输是一个复杂的问题。隋运河只是给那属于京都的粮米准备了一条主要的道路。谷物运输的管理，沿路堆存谷物的设备，由于地理的障碍必需转载的许多地方所应有的措置，衔接和补充隋运河的新水道的开辟，——这一切对于唐的官吏是一个严重的问题。划船，运谷，开新的水道，和管理谷物运输的全盘计划，这些需要千千万万的人民。因为首都和物产的主要中心地域——它现在是在扬子江流域——的距离太远，所以这种运输制度是很耗废的。但是，正如中国历史上的以前和此后的许多情形那样，还是人民被召唤来贡献了他们的劳动。

白居易描写了农民的无停无歇的劳苦生活，而把他自己的作为一个官吏的生活和那以劳动来支持他——生产谷物来经常的给养帝都的农民们的生活之间的对照，加以反省：

田家少闲月，

五月人倍忙。

夜来南风起，

小麦复陇黄。

妇姑荷箪食，

童稚携壶浆；

相随饷田去，

丁壮在南岗。

足蒸暑土气，

背灼炎天光；

力尽不知热，

但惜夏日长。

复有贫妇人，

抱子在其傍；

右手秉遗穗，

左臂悬敝筐。

听其相顾言，

闻者为悲伤。

家田输税尽，

拾此充饥肠。
今我何功德，
曾不事农桑？
吏禄三百石，
岁晏有余粮？
念此私自愧，
尽日不能忘。

白居易的另一首诗描绘了一幅乡村的独立自足的生活的使人忘不了的图画：

徐州古丰县，
有村曰朱陈。
去县百余里，
桑麻青氛氲。
机梭声札札，
牛驴走纷纭。
女汲涧中水，
男采山上薪。

县远官事少，
山深人俗淳。
有财不行商，
有丁不入军。
家家守村业，
头白不出门。
生为村之民，
死为村之尘。
……

在这样的村庄里，编织了中国生活的紧密的组织。死者不只是成为“村之尘”，他们还是他们的集团的精神上的分子，他们的集团纪念他们，给他们立了神位，用规定的仪式祭祀他们。密切结合的家族机构，是由经济关系、宗教形式，以及特定的习惯和态度所控制的，它反过来又约束村庄的行政和事务。处理那些和人民的生活最密切接触的地方事务的村吏们，是从各家族的首领里选择出来的。这样，不管朝廷或州官或其他长官如何，这自足的乡村生活总是继续着，稳定而相对的不受环境变动的影响。

但不能因此认为这些乡下人是完全不觉得他们的命运和京城里的奢华生活之间的差异的。白居易在一首叫做《买花》的有名的诗里暗示到对于这种对照的领悟的可能：

帝城春欲暮，
喧喧车马度。
共道牡丹时，
相随买花去。
贵贱无常价，
酬值看花数：
灼灼百朵红，
戋戋五束素。
上张幄幕庇，
旁织笆篱护。
水洒复泥封，
移来色如故。
家家习为俗，

人人迷不悟。
有一田舍翁，
偶来买花处。
低头独长叹，
此叹无人喻。
一丛深色花，
十户中人赋。

虽则这些经济的差异存在着而且随着时间的进展越来越明显，但是，集权的统治，有秩序的政府，以及在唐初流入京都的巨量赋税，这些使唐帝国还可能扩张领土和发展京都里的文化的和智慧的生活。在长安的生活是动人的、有趣的、刺激的；在那里，反映了那时和外国的许多接触。一位现代作家描写唐时的中国说：

从政治上说，中国在那时候也许是世界上最强盛的、最进步的和最治理得好的国家……唐帝国的边境达到波斯的边境，达到里海，达到阿尔泰山。安南、交趾支那、西藏、塔里木盆地和印度的人民都和它有关系；土耳其人、波斯人和亚拉伯人也和它有关系。许多民族的人出现在中国的宫廷里，他们带来贡品和商品，和影响了中国的思想和艺术的新奇观念……长安的街上，在那些时候来往着印度的和尚；喀什干、撒玛尔罕、波斯、安南、东京（在今法属印度支那）和君士但丁堡来的使臣；西伯利亚平原上的游牧民族的酋长；还有高丽和日本来的官吏和学生，而日本来的，人数更越来越多……

唐朝的第一代皇帝宣称圣人的话的重要像空气之于鸟和水之于鱼，他的周围都是儒士，他改造和扩大了皇家书院，把学生人数增加到三千人，又改革了地方学校。这时候的文人们的浮夸、猜忌和争闹尽有许多可以非难的地方，但是不管这一切，这时代总是一个智慧活跃的、精神热烈的和万术勃兴的时代。[1]

---

[1] Sansom，G. B.，*Japan*，*A Short Cultural History*，pp.81-83.

那时候这都城里的生活的图画，可以从当时的诗歌里看出来，例如李白的诗里就描写了那种生活的许多情景。

知识分子们还是把佛教作为某种刺激物。例如在六二九年，一个有名的学者玄奘，从陆路旅行到印度，留在那边十六年从事研究。他回来的时候带来了六百多种的佛经抄本，他以后的生命就贡献给了这些佛经的翻译（他和弟子共译了七十余部）。到唐的末年，佛教就完全被同化了。大略的说，吸收佛教费了八世纪的时间——在这八世纪里，研究、翻译和改造印度思想——在这八世纪里，中国“消化和改造”这些“外来的思想成为自己的东西”。这长久的过程是既重要而又有特性的。中国所获得的那些思想和行为的新的形式，从来不是迅速的采取过来的；它们是慢慢的适应了中国人民的。所以，在现代西方势力的冲击之下中国法制的“现代化”或“西洋化”的缓慢这一点，从这里可以得到部分的解释——中国对待新的思想形式的特征的中国式的方法，在采取佛教的例子上充分的表明了。

佛教并不是中国的全体儒士所接受的。唐朝最大的小品文作家也是全部中国文学家里有数的最大散文家之一的韩愈（七六七——八二四），他听到皇帝要参加迎接和供奉佛骨的典礼的时候，非常烦恼的给皇帝上了一个奏本。他指出鼓励那种迷信——在他看来——的事的危险，为了他的直谏，他几乎丢了性命。那奏表里说：

今闻陛下令群僧迎佛骨于凤翔，御楼以观，升入大内；又令诸寺递迎供养。臣虽至愚，必知陛下不惑于佛，作此崇奉以求福祥也。直以年丰人乐，徇人之心，为京都士庶设诡异之观，戏玩之具耳。……然百姓愚冥，易惑难晓；苟见陛下如此，将谓真心事佛，皆云："天子大圣，犹一心敬信，百姓何人，岂合更惜身命？"焚顶烧指，百十为群，解衣散钱，自朝至暮……若不即加禁遏，更历诸寺，必有断臂脔身以为供养者。伤风败俗，传笑四方，非细事也。……臣实耻之。乞以此骨付之有司，投之水火，永绝根本；断天下之疑，绝后代之惑。……佛如有灵，能作祸祟，凡有殃咎，宜加臣身。

然而，从唐以后，佛教就成为中国生活的公认的一部分了。

大规模的战争显出了唐朝领土的扩张。诗人杜甫曾经描写了那种战争的非人道和耗废，他特别提到征讨西北方的野蛮人的战事（纪元七二七年），壮丁一次又一次的被征集了派到战地，乡村里剩了些妇女，她们努力代替男子而耕种，但是没有什么成绩：

车辚辚，
马萧萧！
行人弓箭各在腰。
爷娘妻子走相送，
尘埃不见咸阳桥。
牵衣，顿足，拦道哭，
哭声直上干云霄。
道傍过者问行人，
行人但云点行频。
或从十五北防河，
便至四十西营田。

去时里正与裹头，
归来头白还戍边。
边庭流血成海水，
武皇开边意未已。
君不闻——
汉家山东二百州，
千村万落生荆杞；
纵有健妇把锄犁，
禾生陇亩无东西！
况复秦兵耐苦战，
被驱不异犬与鸡。
长者虽有问，
役夫敢申恨？
且如今年冬，
未休关西卒。
县官急索租，
租税从何出？
信知生男恶，
反是生女好。

生女犹得嫁比邻，
生男埋没随百草！
君不见：
青海头，
古来白骨无人收。
新鬼烦冤旧鬼哭，
天阴雨湿声啾啾！

在另一首诗里，杜甫用使人忘不了的字句把许多村落和许多人家所遭遇的悲惨的情景暗示了出来：

暮投石壕村，
有吏夜捉人。
老翁逾墙走，
老妇出门看。
吏呼一何怒！
妇啼一何苦！
听妇前致词：
“三男邺城戍；

一男附书至，
二男新战死。
存者且偷生，
死者长已矣。
室中更无人，
惟有乳下孙。
有孙母未去，
出入无完裙。
老妪力虽衰，
请从吏夜归。
急应河阳役，
犹得备晨炊。”
夜久语声绝，
如闻泣幽咽。
天明登前途，
独与老翁别。[1]

在七五五年，唐的繁荣受到了一次严重的打击，这

[1] Lowell，Amy，and Ayscough，Florence，*Fir-Flower Tablets*，pp 109-110.

是安禄山的叛变。这个土耳其血统的叛逆者兴兵攻下了都城，自立为帝，因此引起了大破坏的内战。虽然不久唐朝又夺回了都城，平定了叛乱，而且恢复了长安的荣华生活，但是这朝代从此就衰微了。边境上的民族更威胁得厉害了，唐初的稳定的文治政府被藩镇的统治代替了。藩镇对于维持治安也许比较有力，但他们是中央政府的有增无已的威胁。后来，在九〇七年，唐朝的最后的天子被推翻了，国家进入了分裂时期。这一时期，相对的说，是短的。它在历史上称为“五代”，因为接连有五个强盛的王室企图做全帝国的统治者，但是其中没有一家能够控制比全国的一小部分更多的地方。

在这王室的兴衰累次变易的半世纪里，最重要的事是孔儒经典的印刷。木版印刷是在这时期之前发明的；世界上最古的印刷物印刷于八六八年，这是最近几年以前在土耳其斯坦的一个洞穴里的密室里发现的，从它的制作技术看来，可以知道在它以前已经有过别的印刷物了。总之，五代以前，印刷术的应用不广，是限于某些区域的，在这些区域是为了翻印佛教的典籍、符咒和祷文，应用着印刷。直到孔儒经典在首都印刷了之后，印刷术才获得官家的认许和广泛的应用。一个冒险的官吏叫做冯道的，他为了在时时变易的朝廷之下维持自己的地位，于是筹备了印刷经书的大计划，而且亲自督工直到完成，这后来对于中国文化发生了巨大的影响。

到九六〇年，随着宋朝的建立，分裂时期就结束了。但宋朝的皇帝却还不能控制唐时的全部领土。它时常受着北方蛮族的威胁，朝廷被逼迫得一步一步向南迁移，到最后不得不放弃了长江以北的全部领土。结果，南宋的领土也不得不全部让给了蒙古侵略者，在一二七九年，中华帝国就全部陷于蒙古人的统治之下了。

中国人在到西方去的陆路被切断之后，就重新开始从海道对外贸易。南方的商埠于是渐渐发展而增加了重要性；通过它们，和亚拉伯、印度、日本进行了大量的贸易。但这时候的商业却没有像以前的商业那样，给中国带来新的外国思想。佛教和回教的贡献已经被中国吸收或是舍弃了，至于日本，中国却还是它的文化发展的“烟士披里纯”。新接触的刺激的缺乏，以及这时候所达到的中国文化的纯一性的程度，这些对于如下的事实要负部分的责任。这事实是：这一时期中国的思想似乎被迫而向内部发掘，中国的天才表现在手艺、艺术和哲学上。

以前在中国发源的，或是随着前期的领土的扩张和商业的发达而传到中国来的种种不同的思想形式，这时候都被考查了、批评了和整理了。大哲学家朱熹，一个受佛教影响很深的儒士，他确立了对于孔孟之道的一种见解，后来在中国和日本都被认为是权威的见解。他的见解是受了几世纪来在中国沸腾着的各种思想派别的不同学说的影响的；它是后来被认为“正统”的一种意见的正式表现。

制瓷器的技术改进了；宋朝的精美瓷器现在全世界的收集古玩的地方都有。印刷这一新技术也获得了高度的发展。

> 宋版印刷的品质，后来从没有超越它的。那些手艺家的高超的制作品——完美的印刷出来的美丽字体——成了一切时代的标准。[1]

[1] Carter，Thomas Francis，*The Invention of Printing in China*，p.56.

宋朝的艺术家们的作品使这一时期永远光辉灿烂。特别是艺术家的山水画使宋代叫人不能忘记。这些画特属于这一个自我考察和反省的时期，它们表现了中国思想的静观瞑想的一面。

但这时期的艺术虽然是这样的不朽和优美，却决不能把它来代表了这时代的全部。一般人民的生活并没有受到艺术家的作品的什么影响，影响它的却是我们必需注意的其他东西。唐朝亡了之后的混乱时间中发生的国内问题，是宋初的君主们的注意的对象，他们企图把支持他们上台的人民的生活条件加以改善。唐朝后期获得权力的地方军事统治者（藩镇或节度使）在唐亡之后就成了地方的军阀；特别是那些边远的区域，实际上就是这种军阀统治之下的独立国家。宋初的君主派遣了学者出身的文官去代替他们，但是有些军人却不是容易撤换的。他们有的带着手下人投奔了邻近的不在宋朝统治之下的区域，在那里帮助威胁宋朝的敌国。有的和新任命的官吏不合，于是逃入山林，做强盗打劫人民。

到宋朝衰弱的时候，贪污腐败盛行官场，“正义”可以用一定的钱买到。于是不愿在这样情形之下做顺民的人，就做强盗和土匪。关于在官吏腐败国家衰弱的背景之上的强盗伙的活动，一部通俗的小说《水浒》里面有生动的描写。《水浒》和《三国演义》一样，也是后人写的；它根据了过去事实的口头故事，表现了民众对于过去的理解，但和《三国演义》不同，它的全部人物都是假造的，所描写的事迹也是虚构的。它的内容虽然是写的宋朝末年的事，但是不能把它看作那时候的情景的真实的描画，只能看作那种情景在人民思想上的反映。它里面有一处写到一个官吏对于强盗的责骂和一个强盗头给他的回答，这里可以看出人民对于那种时势的某种看法：

秦明勒住马，横着狼牙棒，睁着眼看时，却见众小喽啰簇拥着小李广花荣下山来；到得山坡前，一声锣响，列成阵势。花荣在马上擎着铁枪，朝秦明声个喏。秦明大喝道："花荣！你祖代是将门之子，朝廷命官；教你做个知寨，掌握一境地方，食禄于国。有何亏于你处？却去结连贼寇，反背朝廷！我今特来捉你；会事的下马受缚，免得腥手污脚。”

花荣陪着笑道：“总管听禀：量花荣如何肯反背朝廷？实被刘高这厮无中生有，官报私仇，逼追得花荣有家难奔，有国难投，权且躲避在此。望总管详察救解！”[1]

乡下人是贪污官吏的需索和匪盗的掠夺的目的物。有一段关于一个村庄的命运的讨论很有趣，因为把人民在这样环境之下的情形暗示了出来：

宋江与吴用商议，要把这祝家庄村坊洗荡了。石秀禀说起这钟离老人指路之力，也有这等善心良民在内，亦不可屈坏了好人……宋江取一包金帛，赏与老人，（令）永为乡民，（又说：）“不是你这个老人面上有恩，把你一个村坊尽数洗荡了，不留一家！因为你家为善，因此饶了你这一境村坊人民。”

那钟离老人只是下拜。宋江又道：“我连

[1] *All Men Are Brothers*，translated by Pearl Buck，Vol. I，pp.586-587.

日在此搅扰你们百姓。今日打破了祝家庄，与你村中除害。所有各家，赐粮米一石，以表人心。”

就着钟离老人为头给散。一面把祝家庄多余粮米，尽数装载车上；金银财赋，犒赏三军众将；其余牛羊骡马等物，将去山中支用……

当有村坊乡民，扶老挈幼，香花灯烛，于路拜谢。[1]

像这里所描写的不太平和多土匪的情形，和中国一九一一年的革命之后由于军阀和流寇的扰乱所造成的情形有类似之处。宋帝国的早期这些情形并不显著；它们是在后来宋朝衰微的时候发展起来的。

宋初的统治者们不仅必须处理某些区域的不受控制的军权的问题，还要处理经济问题。有一个大臣王安石（一〇二一——一〇八六），他进行一次经济改革，这是从来在中国试行过的最深入的经济实验之一。他的改革和王莽的有相似之处，而且也和王莽的一样是短命

[1] *All Men Are Brothers*，Vol. II，pp.901-902.

的。他的重要的提议之一是由国家放款给农民，收取比私人借贷的利率小的利息。他提议在耕种开始的时候把钱放出，到收获的时候取息。他还实行了一些使土地的分配和赋税的分担比较公平的计划，这样可以制止土地集中的倾向，可以使赋税的负担不至于大部分都落在最负担不起的人的身上。他主张废除国营事业的强迫劳动，主张依照财产的多寡向有产者征收赋税。他赞助了考试制度的修改，比较不重视科举，而对于实际学问加以较大的注意。但是富人、儒士和怠惰的官僚对于他的提议群起而反对，所以它们没有能够充分的执行就渐渐废止了。但是王安石的改革也像王莽的一样没有被完全忘掉，它们完成了作为现代的这类改革的先驱的任务。从这一时期起，就第一次的有了调整缴给地主的佃租的法律。佃耕制现在是公认的制度了；从这时候起，半封建的土地所有制就被不能制止这个倾向的政府所采纳，但是这政府时时用一些方法保护比较穷困的农民。

为了把日益削减的国土保持在宋室的控制之下，必需供养大批军队。由于供养这些军队的必要，以及由于供养集中在京城里的大量人口的必要，宋朝的难题就更加复杂了。因为宋不能控制北部，而且被一步一步的迫到南方来，所以在这一时期里兴造的水利事业都集中在长江以南的区域。一位现代中国作家指出这点的重要性说：

> 自从在一二八〇年被蒙古人征服而灭亡了的宋朝以后，全（长江）流域除了四川，都被充分的开发了——不仅是交通方面，还有足以使中国领土的大部分交织而成一个地区的单位的，文化的纯一性。自从宋朝以后，中国就没有发生过持久的分裂，这是意味深长的。[1]

宋朝君主虽然作了许多努力，改进他们治下的各区域以便控制它们，但是——

> 宋帝国虽有高度的文化，却不能战胜那些步步进逼的北方游牧民族。最初是契丹或辽冲进了满洲和宋的北方边境，而在那里统治了一

[1] Chi，Ch'ao-ting，*Key Economic Areas in Chinese History*，p.132.

百余年。随后是金——满洲人的祖先——推翻了辽，还又更深的侵入中国，把长江以北的全部地方占据了整整一世纪，逼迫南宋迁都到杭州。最后，在一二三五年，蒙古人灭亡了金帝国，再过了半世纪，这些征服世界的蒙古人把宋也灭掉了。但“中国是百川归聚的大海”。每个游牧民族经过个把世纪在华的统治以后，就在文化上和生活方法上彻底变成中国式的了——所以，最初辽之于金，后来金之于蒙古都像是作了中国文化的壁垒，企图抵挡新从沙漠里来的野蛮人的洪水。[1]

然而，这些新来的洪水并没有能够被挡住。一二七九年，一个蒙古人忽必烈汗——成吉斯汗的孙子——做了中国的皇帝，建国曰元。

中国历史上这些伟大的几世纪里，发生了壮观的发展。这时间，诗人写作了诗歌，画家画了图画，哲学家设定了观念，手艺家创造了美丽的书和精致的瓷器，人

[1] Carter，Thomas Francis，*The Invention of Printing in China*，pp.59-60.

民的强迫劳动建造了巨大的城垣和河道，君主大臣们跟给养、运输、交通、征伐和自卫的难题作了奋斗，军队吃了侵入的野蛮民族的败仗，新来的野蛮民族受了吸收同化，还有土匪和强盗威胁了许多村庄，征兵的吏卒把男子投进了战争。但是，在这些发展之中，农业中国的大多数村庄里的生活的经济基础，却还没有被动摇。

让我们想像一个典型的村庄，它包含这么四十个人家，每一家有比我们认为组成一个家庭应有的人数更多的人。每家年纪最大的男子是家长，其余是他的儿子们、媳妇们和孙子孙女们，还有孙媳妇们和重孙儿女们。女孩子们不过是她们娘家的暂时的人员；她们在娘家住到出嫁，出嫁之后就成为别的人家的永久的人员。在祖传的屋顶之下，住着这些由各种关系联结起来的人们，大家对于家长都得服从和尽孝。权威和特权属于家长，虽然他也许是实际上早就依赖着较年轻的人员的劳动的，但是他们不认为他是依赖者。儿子和父亲的关系是臣民和君主的关系的榜样。大家庭作为一个社会的、实业的、财政的和经济的单位而活动，种田，管理财政，照顾它的依赖者，和担负维护全体利益的责任。从各家的家长里选出管理村庄上的事务的村长。村庄里所消费的一切东西的确都是本村所出产的。但是每个村庄虽不必依赖它的邻村，却和它们有一定的关系，为了像水的供给、灌溉和小商业这类事情需要维持的原故，所以，当这样的家庭所组成的这样的村庄还没有被渗透着它们的全部经济的那些变化所动摇的时候，这些村庄是能够挨过暂时的混乱和灾难而相对的保持着安静的。是在这种家庭和村庄之上，中华帝国的不同的政府才能够维持了它们自己。

第五章　元·明·清（一二七九年——一八三九年）

提　要

最后的统一帝国（本章记至西方势力侵入为止）			
时期	政治的、经济的	文化的	人物
元（蒙古王朝，一二七九——一三六八）	中国作为伟大的蒙古帝国的一部分； 通向西方的路打通； 外国来访者和外国接触； 考试制度的废止； 土地赐给蒙古人，佃耕制的广大增多； 通向新都（燕京，即北京所在地）的元运河的建造。	用白话写作，小说的发展； 戏剧的出现； 蒙古人之被吸收成中国型。	忽必烈汗，统治全中国的元始祖； 马可·波罗，欧洲来访者。

续表

明（一三六八——一六四四）	重新在中国人统治之下； 帝国的扩张； 考试制度的重建和科举历程的改订； 北京的建设； 土地被认为皇有，封赐土地给权贵； 运河的谨慎的管理，因而黄河不泛多年； 北方民族的压力增大，中国人向满洲缓缓渗入； 西洋人从海道最初到中国，其中有耶苏会徒和探险者。	瓷器制造术发展到极度； 通过耶苏会会员而第一次和欧洲科学接触。	永乐帝，北京的建设者。
清（满人王朝，一六四四——一八三九）[1]	帝国扩大了； 考试制度继续着； 繁荣和自足自满； 广州（澳门）组织了与外国商人贸易的洋行； 为改变这种贸易制度，欧洲施压力于中国； 乾隆死后满清君主的退化。	满人被吸收而中国化； 在欧洲引起了对中国的兴趣； 自满自足的表现； 考据学的盛行。	康熙帝； 乾隆帝。

从一二七九年到一九一一年，统治中国的是接连三个朝代，其中只有明朝（一三六八——一六四四）是汉人。蒙元（一二七九——一三六八）和满清（一六

[1]（注）清朝一直存在到一九一一，但自一八三九以后的事情归下章讨论。

四四——一九一一）的君主们是外来的征服者；在他们之前虽然有一些侵略者能够控制了中国的一部分地方，但是能够做到全中国的统治者的只有他们。我们知道，在中国历史上，吸收外国民族的事是不断的发生的；但是到了这里所讨论的这一时期，中国却吸收了统治它的外国征服者——这是历史上无与伦比的伟业。满洲人统治得比蒙古人长久，因而也更完全的被同化成中国型。满洲语文被废弃不用，清朝的英明的君主们都依照最好的中国传统治理国家。这因为中国文化比起蒙古人或满洲人的是这样优越，所以能征服它的征服者。但是当中国在一八三九年遇到现代西方势力的猛烈的冲击的时候，情形却不同了。从此开始了一个新的时期——在这时期里，中国有史以来第一次的碰到了某些外国所发挥的力量，这些外国既有优越的战争的技术和优越的工具和器械，还有中国前所未闻的科学性的学识。

蒙古人忽必烈汗最后推翻了南宋，就建都于燕京（Cambaluc），即现在的北京。他可以不从那蒙古平原上的喀拉科陇地方的军营，而从中国这个北方都市来统治他的庞大的帝国了。他的帝国不仅包括中国，还包括西方的俄罗斯和别的地方。他在燕京接待那些臣服的俄罗斯王公和一切被征服的居间区域的使者，他强迫他们带着赋税和贡品到他的都城里。但是他的后继者们名义上虽然还是这庞大的大陆帝国的大汗，实际上只是中国一处的统治者，蒙古帝国很快分裂成了各个小国。然而，这些小国互相之间还维持了一个时期的友好关系。

这些蒙古小国维持着通行西方的陆路，于是在这长长的道路上又出现了一队队的商队，深入了欧洲。欧洲的旅行者也从这条路来到中国——传教师，教皇的使者，意大利的各独立城市的商人。欧洲人并没有带来怎样给中国一个持久的印象的新的思想形式；但是，据一位权威说，好像倒是那些天主教的传教师从中国带回了木版印刷的技术，这样帮助了欧洲的印刷术的发展。

> 这些传教师在中国消磨着岁月，学习着中国言语，和中国人混在一起，必然随时接触到印刷了的文学。科尔文诺（John of〔Monte〕Corvino）从事他的工作的最初十二年间……已经翻译了《新约全书》和《诗篇》，而且替文盲

> 预备了图解和经句，而那时候正是中国已经盛行印刷的时候，那时一切重要的学术作品都应利用印刷是很自然的事。没有问题的，那些协助翻译工作的中国人会提议把译文和图画，用对于民众是习惯的和自然的方法，拿给他们看。是否那些传教师同意了这点，因而自己成了印刷术的最初的欧洲保护人——这我们一点也不知道。但在欧洲，像科尔文诺的图画那样，“给文盲看”的宗教神像的印刷品不久也出现了。这是在那些传教师做了他们的工作之后大约半世纪之内的事。这未必只是一种巧合。[1]

人们会推想：假使中欧的道路维持着不断，假使中国和后来在欧洲发生的变革和发明保持着接触，假使欧洲获得了中国文化的真正的知识——那么，这世界的历史会变成多么不同了吧。似乎是，关于中国的比较皮相的报告——像马可·波罗的——倒还有传到欧洲，而中国却没有受到这时候欧洲的什么影响。

[1] Carter，Thomas Francis，*The Invention of Printing in China*，p.123.

在中国，元朝君主所兴建的最重要的公共事业，是关于运输和交通的。为了保持对于他们的广大帝国的统治——即使是名义上的统治，蒙古君主们很注意了那些非常必要的道路的开辟和维持，因而中国在蒙古人所进行的这些陆路工程里也分享一份。元朝君主们又追随以前的帝王开凿河道。隋运河在南北不能统一的期间失了修浚，而且它是通长安而不通北京的。元的皇帝就利用隋运河的一部分，又兴建了直达北京的新运河，所以元运河（现在就叫做运河）的大部分和隋运河是不同的水道。有几个因素使元运河成为非常重要：

元运河是元明还有清三朝以来的南北交通要道。这三朝的统治者们所碰到的最大的难题是运河的一段和黄河合流的问题。

维持运河的运输和控制运河的泛滥，其间有密切的关系。这密切的关系很显然的说明了这两种工作的重要性。因为这工作的重要，所以使得管理这两者的官吏在官僚政治的等级制度里占了极高的地位。明朝有一个官吏，他是一个水利专门家，叫做潘季驯，他很清楚的指出这两个工作之间的密切的关系，说：

“对于黄河作适当之注意，则运河运输之制能获大益。漕粮之事一年不能搁置，黄河亦一年不容忽视。一举而两得，此治河之所以重要也。故宋元之前，河道屡改，忽北忽南，无一年安。而在本朝，河道不改者已二百余年。此以其为运河之一段而加以注意之故也。”

关于这一点必需指出，在中国整个的半封建的期间，政府总是把运粮的利益放在灌溉或防滥的利益之上的。运粮原是专门为了政府的利益而进行的事，这里面还有迅速享受统治的果实的意味，以及用粮米供养武装队伍来维持权力的显然的必要。灌溉和防滥对于农民利益的问题比较切近，而对于政府的利益和权力问题却是比较疏远的，虽则其实是致命的。[1]

假使我们回头看看我所引用的这位权威关于中国早

[1] Chi，Ch'ao-ting，*Key Economic Arcas in Chinese History*，pp.141-142.

期建造的河道的描写，我们就会看到他老是指出政府的主要用意是供养京都和维持谷物运输——而不是改善人民的生活。这种理解虽然暗示了那些皇帝和大臣的冷酷，但是我们决不能忘掉中国地域的广大和在那运输迟缓的时代运输问题的急迫的性质。从广州到北京有二千英里，从陆路或水路走完这一距离，在那时是几个星期或几个月的事情。中国地域的广大这一点，可以帮助我们解释为什么对于运河的运输利益特别强调。水道虽然本来是为了运输开凿的，但它们对于种田的人有益却也是真的，不管它们是不是为了这个目的而被开辟。

蒙古征服者来了之后，土地所有就发生了变化。土地集中到侵略者的手里——相对的说来，他们的人数很少——所以田庄是很大的。佃租制成了通例，因为中国地主被压迫得厉害，所以有田不如租田。土地所有制度的这个变化，那意义不是农村的耕种者被迫脱离了土地，它的意义是，作为佃农而耕种的人的数量空前的增大了，这延迟了中国大众的经济的进步。

行政官是蒙古人；这些蒙古人在管理一个庞大的帝国这一点上已经显出了他们的行政天才。中国政府的官僚制度吸引他们的兴趣，他们就把它拿了去。他们把高大的官职留给自己人，当然，这些人并不是有修养的儒士。选择官吏的考试制度全部废止了，因为蒙古人在这样的考试里面竞争是不会胜利的。中国人被派给了较小的职位，政府里的琐事大部分是中国人做的。唐宋时代的宫廷生活里的一个异常显著的因素——高度的学问标准，现在是没有了。

在元的治下，用人民的口语而不是用经典上的文言写的大规模的文学作品，以小说的姿态出现了，而且成为民间非常通俗的读物——这是很有兴趣的事。同时，白话的戏剧也发生了，它成为中国故事深入大众的另一个手段。这种戏曲是以前那些说故事的人、唱歌的人和跳舞的人所从事的通俗游艺的自然的成果。这一切结合了起来，而且演艺者得到了成文的脚本的供给，这时候，就产生了元曲。但是虽则有这些新的发展，而生活上的智慧的情调在元代和在唐宋两代还是不同的。中国人对于这一时期外来的新势力的刺激本该有所反应的，但是他们保持着淡漠的态度对待那些带着贡品和书信来朝拜蒙古宫廷的外国使节。

在一三六八年，蒙古统治被推翻而明朝建立；中国的法制就复活了过来。考试制度恢复了而且加强了，考试科目比以前更加严格。朱熹的学说特别被重视为正统的和正确的。向西的陆路又断了。注意力集中在中国本身，它这时在明初的精明的君主的统治之下向南扩展了许多，向北扩展到蒙古、满洲和高丽，向东达到了琉球群岛。对这些地方的控制后来虽然失掉，但是有一个时期这帝国是扩展得很大的。第三代皇帝——永乐，把北京建成辉煌的新都，它的城墙、宫殿和美丽的建筑，直到现在——即使在弃置不顾的情形之下——还是全世界的奇观之一。瓷器制造在明朝发展到了十全十美的程度，全世界曾经有过的最美丽的瓷器就是在明朝的时候制造的。

明朝君主虽然尽心尽力的复活和提倡中国的艺术、手艺和法制，但是他们也仿照元朝的例子宣布土地是皇家的财产和进行封赐土地。很多的土地留给了皇家，而皇家土地和地主田庄都由佃农耕种，这些佃农以前就是耕种这土地的，现在还继续着耕种，土地所有权的移转不干他们的事。无地的农民被遣送到黄河和长江之间的广大区域，因为这一带在永乐帝和他的侄子——明朝第二代皇帝——争夺天下的时候受了破坏，居民很少。

在明的统治期间，中国人冒险航海的事较盛。他们和东印度群岛、印度、锡兰、暹罗甚至菲洲贸易；他们和对于获得中国产物并且再同中国思想接触的机会表示欢迎的日本，也有来往。中国人不但和这些地方贸易，而且还移民到其中一些地方，在那里生活下去。在这时期之前——还有在这以后——中国人曾经表示愿意离开他们所住惯了的土地而移居到生疏的，甚至显然不利的地方。这种移居的倾向——移到台湾、琉球群岛、菲列宾、印度支那和安南，还有，很久以后，到满洲平原——的最重要的动因大概是经济的压迫。但是无论如何，中国人表示了他们不是不愿意在生疏的环境里伴着生疏的人民冒险生活的。

然而，这一时期的伟大的航海冒险家还是欧洲人。葡萄牙人、荷兰人、西班牙人和英国人，这些开拓者和商人，初次的由海道到了东亚，从他们到来之后，西方就日益急切的敲东方的门了。在明亡之前，这些新来的人就已经为了亚洲和附近岛屿的所有权而互相争执。西班牙人是在菲列宾，他们在那里所做的许多暴行之一是杀戮了全部的中国居民。葡萄牙人是在中国南部的澳门，而不列颠，它的炮船轰击过广州。荷兰人曾经企图夺取台湾，但被击退。然而这些事件却没有激动北京。无礼的“蛮夷”被在帝国里咒骂着，至于他们在那些边境地方像在台湾，在菲列宾，即使在广州的活动，并不被认为严重。直到一九〇〇年之后，中国身受了差不多四分之三世纪的暴行之后，中国统治者们才感觉到西方来的冲击必需严重的看待。

先前和以后都是一样，传教师跟着商人而来；他们像商人一样，觉得要在中国获得任何进展是极端困难的。十六世纪时，一个有名的耶苏会会员利马窦，他觉得要在中国立足，最好的方法是巴结儒士。耶苏会会员们带来了数学和天文学；他们学中国文，研究中国学问，穿中国儒家的衣服。他们尽可能的不显出他们的特点，于是渐渐的获得了承认。在十七世纪时，他们获得了朝廷的注意；他们的熟练的数学家和天文学家被赐了官职，负责改良历法和翻译欧洲的天文学的著作。满清的康熙皇帝继续任用耶苏会会员做宫廷里的天文官和历官，到一六九二年，他又下诏准许他们信奉自己的宗教。虽然各种迫害中国基督教徒的事情很多，但同时这些耶苏会会员却继续把他们在朝廷里的地位保持了许多年。十八世纪的欧洲对于中国所发生的巨大的兴味，其中有的就是由于这些理解和赏识中国思想的耶苏会会员所介绍的中国文化所引起的；而其余的兴味，也许是得力于商人从中国带去的东西——丝、茶、瓷器和漆器。

关于明朝的中国人民的生活，我们根据记载了的事实可以作一些推断。在扬子江三角洲和黄河之间的全部地方都被永乐帝破坏成了荒地，人民丧失生命的不知多少；而后来，无数的无地农民就被送到这地方生活。河道被留心的修理了，对于黄河也加以相当的控制，这样，至少给了这区域里的人民一些帮助。但是有一个明朝的官吏，他“注意到黄河河堤崩决的原因之一，是一些农民秘密的掘堤放出水来加肥他们的枯竭的田地”[1]。有一个明朝的官吏指出开垦了的田地漏税的情形，说：

湖底大半是沃土，可垦为田。此种田地，

[1] Chi，Ch'ao-ting，*Key Economic Areas in Chinese History*，p.17.

年产三倍于常。然有司不税其地。豪狡者垂涎之，每占其地而垦。[1]

美丽的北京城是用强迫劳动很快建造起来的。国家在最初是太平而繁荣的，但到了衰微的时期，社会就混乱了，匪盗也蜂起了。中国人全体——像以前常有的那样——在某种程度上共享着国家的好运，贡献了他们的劳动，使这一时代获得了光荣，而当这光荣的时代结束的时候，就受着匪祸的痛苦。

一六四四，从满洲平原来了满洲人，这些新来者推翻了明朝而自己占据了"龙座"。在完成这一步之前，他们行使了某种政治手腕，这政治手腕在目前中国北方边境的情形里还被运用着。那时候曾经有大量的中国人移民到满洲，因此引起了野心的满洲人侵犯中国的念头——未必是想统治中国，但是当然想劫掠它的富有的首都。南下的道路要经过山海关（这要隘位于山和海相遇的地方），这关隘对于侵入者是困难的，而对于中国人则易于防守，只要驻扎了军队就能够挡住敌人。因

[1] Chi，Ch'ao-ting，*Key Economic Areas in Chinese History*，pp.20-21.

此满洲人就攻打那些住在现在察哈尔省地方的蒙古人；征服了这一族，别的蒙古人就降服了他们，于是他们就从蒙古进入中国，这里的长长的边境上除了长城之外没有别的防御的东西。这是很有趣味的，因为今天的蒙古还为了恰恰相同的原因引动着各国的注意——它供给一条直入北部中国的中心的大路。但是满洲人做到了这些之后，却还没有能征服中国，他们被击退了。他们最后是被一位中国将军（吴三桂）——他原是负了抵抗他们的责任的——请进来的。这位将军因为在他正和满洲人作战的时候，北京被一个匪首（李自成）所陷，他觉得与其把北京给他不如给满洲人，就请求满洲人的帮助。而满洲人一到北京就攫取了皇位，建立了清朝。

满洲给中国带来了他们自己的领地满洲。他们治理这处地方不像他们治理这帝国的其他地方。他们努力要把这块地方保持做皇室的私有的田庄。他们定了许多规律禁止汉人住在满洲平原；他们企图把一切行政把持在满人手里，不许汉人做官吏。他们劝告住在中国的满人在满洲设置田产，而且对这给以特别的利益。但是不管这一切规律如何，中国人还是渐渐的移入满洲，到清朝将近灭亡的时候，移居在那里的中国人已经差不多有一千四百万了——这是那时候当地全人口的百分之八十。满洲皇帝对于满洲移民的态度产生很重要的结果。它显出了中国人对于移居东北平原的甘愿和坚决，同时显出了满洲人对于那里的艰苦生活的憎厌——这情形和现代相似，不管日本政府如何帮助和鼓励，日本人的移民满洲还是进行得很慢。满清的政策使得满洲的居民极其稀少，以致那广大的区域后来引诱了帝国主义国家在那里寻求势力范围，在清朝灭亡以前，帝俄一再获得了租借地以至控制了广大的满人领地的一半，而新兴的日本则馋涎欲滴的盯着满洲的肥沃土地。远东现在的许多冲突的开端，可以说是起于满清不把它的领地归并在中华帝国之内，而把它作为他们私有的田庄的政策。

满洲人不仅带来他们的满洲，还带来他们对于蒙古酋长的控制。满洲人曾经强迫这些酋长把他们的民族在上面随意游牧的公地加以分配，每一族分到一块本族公用的牧场。为了服从满洲人的名义上的统治，这些酋长就得到满人的贿赂作为报偿。在许多场合上，这些酋长所得到的钱是从中国商人在蒙古地方进行的厚利的商业里分润得来的；蒙古人民就这样被他们自己的王公所榨取，而他们却归罪于中国人。满清又准许了殖民蒙古的计划，这样使中国农民们在蒙古的牧场上开垦了土地。这些束缚在土地上而所得微少的贫苦佃农，被蒙古人轻视，也被蒙古人敌视，因为每造成一处新的殖民地就是牧场的一份损失。这一切造成汉人和蒙人之间的磨擦，这磨擦的结果在目前是可以看到的——当日本侵入蒙古的时候，汉人和蒙人却不联合起来抵抗侵略者。

满人来到中国之后，就把他们的自己人安插在土地上，赐给他们京都一带的田庄。这地区的许多中国地主都被赶走，经过极大的调动和忙乱，这才把“旗人”安定在京城附近以及把别处的土地补偿了那些被逐的中国地主。除了这些特殊情形之外，从前的地主大体上都没有被扰乱。大多数土地是在氏族或家庭手里，它们可以被驱逐离开土地，因为清的君主像元明的一样，认为土地是他们的财产；但是种田的人，当他们是在耕种着土地的时候，通常是被准许继续占有土地的。所以，在实际上农民虽然不能所有他们的田地，但这田地可以从父亲到儿子的一代一代传下去——即使是佃农，情形也是一样。占有了自己种不了的田地的人可以出租给佃农，佃农就世代相传的耕种这田地和缴纳田租。这就是中国在西方势力刚刚达到之前的土地所有制度，因为这制度和任何封建制度之下土地耕种的情形相似，也因为它的束缚农民在土地上的作用，所以现代的作家们称它为半封建的，虽然在中国封建制度早已不存在有两千多年了。

满清因为在蒙古有了一点势力，初期的君主们——他们是精明强悍的人——就想向西发展。他们做到控制了新疆和西藏。他们从满洲压迫高丽承认了中国的主权。他们又获得了琉球群岛和台湾的臣服。在清初的时候，中国对于它的领土——这是从来最大的——的统治，不仅是名义上的而已。但是，当它衰亡下去的时候，当外国开始在亚洲扩展势力的时候，中国对于某些边境地方的统治只是名义的了，而一些中国申明属于它的、但实际上并不是它治理的地方，就成了发生纠纷的难题的来源。例如，它诱导了一八九四——一八九五年的中日战争，而这战争给了中国深刻的和不幸的结果。

在位六十一年的康熙皇帝（他的母亲是一个中国

人）是一个强有力的、能干的和正直的统治者。他是在中国的传统里透透彻彻的教育出来的，他照着中国传统行使他的统治，天亮就起来上朝听政，亲自处理他的庞大的帝国的事务。他用奖励读书的方法，以及给中国人做官和升官的机会的方法，获得了中国儒士的支持。他的孙子，在位六十年的乾隆，在当政的后半期开始实行了对于中国文学的极严格的检查。在一七七二年，他提议搜罗大量的书籍做一个皇家图书馆（就是四库全书馆）。当许多书籍送到京城里之后，他就诏令毁掉一切有危险思想的书或书的一部分。所谓有危险思想的，他的意思是指一切对于清朝不敬的东西，或是关于满人入主中国之前的历史有什么不利的材料。他把禁书列了一个表，通令各省，责成各省长官搜寻和毁灭这些书籍。官吏们搜查了私人藏书室，在许多场合，不但毁了书籍，连印刷书籍的木版也被毁掉，这是学术的历史的材料的大损失；不得已而交出书籍或是珍贵的版子的人，或是企图隐匿而被处罚的人，对于皇帝的专制的命令很觉得愤慨。

士人阶层里发生了一种退出朝廷的倾向。一些著名的儒士把生命贡献给了思索和研究。他们掘发古书里的革命的记述，对于君王的职能作了他们自己的解释。假使他们不能公开的说，就用前人的话来说。他们是后来显著的表现出来的革命思想的前驱者。因为钻研古书，他们就沉入了文字上的研究和经典原文的出入的比较的研究，这些出入是历来抄写转录的时候造成的。这些人是最初的科学的训诂家。直到现在科学被研究之前，中国所有的科学的探究，大多是跟文学的和历史的批评相关联着的。

清朝也碰到那些在中国历史上非常普遍的反复出现的问题——谷物运输和水利。清朝的官吏们注意到为了供养远方的京都有发展交通的需要，为了农业的利益有开辟和修浚河道的需要，以及州官知事们有特别注意当地的河道的必要。我们知道，对于运输、水利和农业情形的关注，这是中国自有帝国以来一些最好的皇帝们的特点。这使我们了解，这种特点与其说是像十七和十八世纪欧洲的评论中国政治的人所说，表示了利他主义的仁慈，倒是表示了中国政治家的实际。不管在这些事情上中国传统政策的意义如何，清朝君主们总之是完全像以前的君主那样的实行了它们。

但是在有些地方清帝并没有追随中国的习惯。满洲女子不许仿效中国女子的缠足（这缠足的习惯不是古来就有的，但也已经存在了几世纪）。她们保持着满洲人的头发式样和服装。满清坚持中国男子应该采取满人的头发式样，剃掉额上的一部分而把其余的留长打成一条辫子。在这时候之前，中国男子原是蓄发的，但满清所规定的特别式样，在先是表示服从异族统治的意思。最初中国人对于拖辫子很愤怒，但是后来反而引为骄傲，所以当一九一一年革命发生的时候，许多人对于剪辫子——这古旧的、奴隶的标志——的命令大都感到屈辱。

对外贸易是清朝全时期中一个经常反复的问题。至少在一八四二年以前，我们是毫无理由说中国已经和英国、荷兰、美国以及其他外国通商的。到一七一五年，一切对外贸易都限定在广州（指澳门）。中国方面的商务，由一些商人和商业公司执行，这种商人除了最初受政府的指派以外，完全是以私人的资格活动的。进行这些商业的机关叫做“洋行”，在广州（指澳门）只允许设立了十三个“洋行”。一切在华贸易的各国，除了美国，最初都是由私家独占公司，像“东印度公司”之类代表的。任何外国人，除非通过“洋行”商人，不准贸易。那时所进行的一切商业，都是表示中国对于外国人渴求中国货物的欲望的让步；满载着茶、丝、瓷器和漆器离开中国的外国船只，很少能够带回一批引动中国人的货色。美国商人发现了檀香在中国有销路，于是停泊在夏威夷的美国快艇就劝诱夏威夷人采伐和毁坏他们的檀木森林。但贸易结算总是大大有利于中国，欧美的流通货币不断的流到中国来。这一切情形是叫外国人懊恼的，于是外交人员开始努力求见在那辽远的虚无缥渺的北京的皇帝，想去劝他放松贸易限制和允许中国和通商各国有外交的关系。

在中国过去的全部历史上，它从来没有直接接触过一个国家，它的文化在某一点上比中国所达到的优越——这样的说法是不能太过强调的。但也必须记得，迟至十八世纪，欧美所供献的物质的东西，其中足以被中国人认为优胜的还是很少。所以当乾隆在位的期间（一七三六——一七九六），欧洲的外交家为了获得新的贸易权利和外交代表的交换曾经一再的努力，而乾隆皇帝一面用极其有礼貌的态度对付他们的要求，一面却表示出一种不能动摇的坚决。支持这种坚决的，是由来已久的自觉的优越所造成的自足自满。

英国派了代表觐见乾隆，但是一无结果而回。他们带回去给乔治三世的乾隆的敕谕和信件，那上面说得非常明白，任何其他的文字也不能把中国政府对于难于许可的和非所愿望的外国侵扰的看法，描写得这样好。我们可以把那敕谕的大部分引用在这里：

> 咨尔国王，远在重洋，倾心向化，特遣使恭赍表章，航海来廷，叩祝万寿；并备进方物，用将忱悃。
>
> 朕披阅表文，词意肫恳，具见尔国王恭顺之诚，深为嘉许。所有赍到表贡之正副使臣，念其奉使远涉，推恩加礼，已令大臣带领瞻觐，赐与筵宴，叠加赏赉，用示怀柔。其已回珠山之管船官役人等六百余人，虽未来京，朕亦优加赏赐，俾得普沾恩惠，一视同仁。
>
> 至尔国王表内恳请派一尔国之人居住天

朝，照管尔国买卖一节，此则与天朝体制不合，断不可行。向来西洋各国，有愿来天朝当差之人，原准其来京；但既来之后，即遵用天朝服饰，安置堂内，永远不准复回本国。此系天朝体制，想尔国已所知悉。今尔国王欲派一尔国之人住居京城，既不能若来京当差之西洋人，在京居住不归本国，又不可听其往来，常通信息；实属无益之事。……

天朝抚有四海，惟励精图治，办理政务。奇珍异宝，并无贵重。尔国王此次赍进各物，念其诚心远献，特谕该管衙门收纳。其实天朝德威远被，万国来王，种种珍贵之物，梯航毕集，无所不有；尔之正使等所亲见。然从不贵奇巧，并无更需尔国制办物件。是尔国王所请派人留京一事，于天朝体制既属不合，而于尔国亦殊觉无益。特此详晰开示，遣令贡使等按程回国。尔国王惟当善体朕意，益励款诚，永久恭顺，以保全尔有邦，共享太平之福。除正副使臣以下各官及通事兵役人等，正赏，加赏，各物件另单赏给外，兹因尔使归国，特颁敕谕，并赐赉尔国王，文绮珍物，具如常仪，加赐彩缎罗绮，文玩器具诸珍，另有清单。王其祗受，悉朕眷怀！特此敕谕。

乾隆给英王乔治三世的另一个敕谕上，逐条答复了英使的提议和说明了他拒绝的理由：

尔国王远慕声教，向化维殷，遣使恭赍表贡，航海祝厘；朕鉴尔国王恭顺之诚，令大臣带领使臣等瞻觐，赐之筵宴，赉予骈蕃。业已颁给敕谕，赐尔国王文绮珍玩，用示怀柔。

昨据尔使臣以尔国贸易之事禀请大臣等转奏，皆更张定制，不便准行。向来西洋各国及尔国夷商，赴天朝贸易，悉于澳门互市，历久相沿，已非一日。天朝物产丰盈，无所不有，原不藉外夷货物以通有无。特因天朝所产茶叶、瓷器、丝片，为西洋各国及尔国必需之物，是以加恩体恤，在澳门开设洋行，俾得日用有资，

> 并占余润。今尔国使臣于定例之外多所陈乞，大乖仰体天朝加惠远人抚育四夷之道。且天朝统驭万国，一视同仁，即在广东贸易者亦不仅尔英吉利一国，若俱纷纷效尤，以难行之事妄行干渎，岂能曲徇所请？念尔国僻居荒远，间隔重洋，于天朝体制原未谙悉，是以命大臣等向尔使等详加开导，遣令回国。恐尔使臣等回国后禀达未能明晰，复将所请各条，缮敕逐一晓谕，想能领悉。……[1]

乾隆是清朝的最后一个有权力的皇帝。他的软弱的后继者既不能用乾隆的骄傲，也不能用或许更适合时势需要的新的机巧，来应付外国的冲击的日形严重的问题。同时，一些贸易公司发现了鸦片这宗货色在中国会有销路。于是大宗鸦片，最大部分是英国东印度公司的印度田地所出产的，开始输入中国，不顾中国的法律是禁止这项贸易的。一八三九年，英国和广东省军发生了战事，这是皇帝派到广东的钦差大臣企图执行禁烟法律

[1] Macnair，Harley Farnsworth，*Mordern Chinese History Selected Readings*，pp.2-5.

的结果。结束这次战争的条约订立于一八四二年，它划出了中国历史的转变点；这是屈辱的开始，后来中国就渐渐被降服在帝国主义的手里。

在考虑一八四二年以后的时期之前，让我们把这时候中国的情状概括起来说一说。满清的声威和权力渐渐衰微了；像中国历史上这样的时期里永远有的一样，官吏的贪污腐败很普遍了；地方对于中央，也显出了相当离异。在乾隆死掉之前，叛乱和相伴着它的匪祸，已经开始发生。官吏的行为，和这朝代强盛的时候的不同了，他们对于乡村的利益的关心减少，而对于自己升官发财的关心更大。乡村还是像向来的样子管理着自己的事务，但是乡村的人民却感受到统治集团的败坏的道德的影响。

中国人是习惯于处理自己的事务的；他们不习惯于被“治”——被人教训着做这样做那样，这种意味的统治，他们是不习惯的。中国人，包括说着不同的方言，生活在自足的小团体里的各种各样的人民；他们缺乏民族主义的情操。政治的统一——在现代西方的意味上——中国从来没有过，把这帝国统一在伟大的皇帝之下的力量，是很快就消失掉的。现代西方势力的冲击，不是几个国家加于一个政治的国度的冲击，倒是几个国家加于那些组成中华帝国这一松懈的联邦的许多小邦和团体的冲击——这个联邦，当每一个朝代衰亡的时候总是分裂开来。

第六章　帝国主义在中国

提　要

时期	战争和冲突	中国方面的结果	人物
清末 （一八三九——一九一一）	中英之战 （一八三九——一八四二）	赔款； 开商埠； 割香港； 议商第一次的不平等条约。	
	和英国及法国的战争 （一八五六——一八六〇）	赔款； 开放长江流域和北方城市； 割交趾支那的一部与法国； 割缅甸的一部与英国； 鸦片贸易合法化； 政府行政和金融受外国势力的影响； 中国人的移民。	慈禧太后
	和法国的冲突 （一八九四——一八九五）	赔款； 日本成为朝鲜的保护国； 帝俄势力侵入满洲； 英国势力侵入长江流域； 德国、法国、英国的势力在各商埠扩张； 借外债； “门户开放”的提出。	李鸿章，官僚； 康有为和张之洞，改革者。

续表

	日俄战争（一九〇四——一九〇五）	日本在南满得势； 英国在西藏得势； 日本并吞高丽（一九一一）。	袁世凯，军阀。
推翻帝制； 建立民国 (一九一一 ——)	世界大战	日本攫取山东的德租界； “二十一条”（一九一五）。	
	日本扩张势力引起冲突：济南惨案，“九·一八”事变； 侵略华北。	傀儡“满洲国”出现； 日本计划华北脱离南京而独立； 华北受日本军事的、政治的和经济的支配。	

“现在，它的最大的幸运好像仅仅是生存，是保全生命了”，这是本书的开头所引用的现代中国作家说的。造成这样情形的原因，是复杂而互相关联的。正当满清衰微以及人民大众的痛苦由于腐败的税务人员、官吏和地主的压迫而深刻化的时候，外国带着新的货物和商品开始侵入了中国，这些外来的东西渐渐的代替了中国的手工生产物，而更进一步的引起了农村经济的崩溃。由于中央政府的分裂，使外国的压力较容易的增加了。人民大众责备朝廷；随后他们把苦恼归罪于外国人，而用叛乱来反对了这一国人又反对那一国人。叛乱加增了人

民的痛苦，也煽旺了革命的火焰。知识分子把中国的灾难归罪于政府的形式，而倡议一个新的形式。政治革命发生了，但是中国还不适宜于立宪的政府，于是成了军阀的牺牲品。军阀的需索以及外国干涉所加剧的混乱，使得人民的情形更加悲惨了。所有这些因素——帝政的腐败，外国的压迫，人民的经济困难，叛乱和革命，混乱和内部的烦难，这一切结合起来造成中国的厄运，以致变成现在的局面。因为这各种原因是很复杂的，所以我们只好分开来讨论，但它们之间的关系必须记在心里。

帝国主义是中国的困难的原因之一。工业化了的国家发展海外贸易和投资的过程，其中包含着为了增加和保护对外贸易和投资所需要的一切政策和行动——这些总括在一个简单的术语里就叫做帝国主义。这些政策和行动在特定的时机和在特定的事件上究竟是怎样的，这要看所牵涉的国家是怎样。在中国的场合，如我们所知道的，外界的各国最初是被它的优良的生产物吸引得来的。因为中国是自足的，政府不愿意扩展对外贸易，所以外国就用武力对付了这国家；这国家虽则领土广大，却没有工业化，它在武力之下证明了不能抗拒外国的要求。其次，中国人口的庞大，激起了在这庞大的、有可能性的市场里卖商品的欲望。再则，中国人的劳动的廉贱引诱了在中国投资，设立外商工厂。还有，借给中国政府的外债，使那些放款的银行家和金融家的本国对于中国又多了一重控制。私人或私人团体的投资，既有治外法权还有外国武力加以保护。这样一步一步的，帝国主义扼住了这“一度是世界上最大的帝国”的喉咙。

跟着商人，来了传教师。在中国贸易的各国强迫中国政府修改对外贸易的限制获得成功之后，它们又同样的要求了允许传教师到他们所愿望的任何地方去居住和传道。因此，十九世纪的传教师没有像十六和十七世纪的耶苏会徒那样用慢慢接近的方法。他们虽然经历了许多艰难、困苦和危险，但他们是——至少依理是——在外国军力的保护之下的；他们不是像耶苏会徒全靠朝廷的善意。因此，不可避免的，在许多中国人的脑子里，传教师是和帝国主义联结着的。但不问如何，教授西方学术的学校是传教师设立的；在他们影响之下的中国青年可以获得必要的现代工具来对付西方的冲击。最先的女子学校也是传教师设立的。他们提倡女子教育，他们训练女子做家庭以外的工作，这些，对于动摇那传统的家庭制度是有影响力的。现在在中国有些分散于各省的设备优良的高等学校，还部分的依靠教会经费的支持。这些高等学校在训练中国的领袖分子和专业家（男子或女子）这一点，尽了重要的作用。传教师关心公共利益和公共卫生等类的事情；他们提倡对于民众福利的责任观念，这是比较普遍的由社会来负责的观念，而不是像中国原来的那样——对于依赖者的照应，大多是落在家庭身上。但是早期的传教师特别倾向于把歪曲中国的观念表现给外界，而不幸这些歪曲的观念仍然很普遍。他们描写罪恶——像杀害婴儿，卖女为婢之类——但是对于这种行为的经济原因却不加以同等的注意。他们却不说出这样的事实，就是，这些行为是产生于——部分的，至少——人民的贫困，这种贫困正是帝国主义的压迫所加剧的，而帝国主义的压迫，伴着其他东西，给了传教师在中国的根据地。

虽然在一八三九年之前外国炮船已经轰击过中国商埠，但直到这个时候并没有发生过真正的战争，中国政府还能够约束在华贸易的西方各国的野心，把贸易限制在广州一处。对于这种情形，对于不能得到更扩大的贸易权，西方各国极其不满。到一八三九年，不列颠因为中国政府继续拒绝把以前所规定的贸易条件加以修改，就诉之于武力了。这次冲突的直接原因是派到广州的钦差大臣（林则徐）企图执行禁止鸦片输入的法令。他没收和焚毁了一船英国的鸦片，英国就开始军事行动。我们必须理解，提到鸦片贸易的话，中国商人也决不是没有罪过的；没有中国商人的帮助，鸦片是不会私运进来的。同时，应该记住那朝廷的法令是一回事，地方的执行又是一回事。各省政府是左右为难的——广州所在的广东省当然是特别成问题的——它们不得不不顾朝廷的法令，寻求自己的解决方法。在这样的情形之下，省政府要执行法令禁止某种由外国船只运到广州的货物，那是不可能的。这位钦差大臣采取了这种行动之后，广东省政府就卷入了英国所发动的战争。

由于一八三九——一八四二的鸦片战争的失败，中国政府被迫作了重要的让步。五个沿海的城市——厦门、宁波、上海、广州和福州——开放给外国贸易，“洋行”的制度废止了，因而中国对于外国贸易的限制大为减弱。中国被迫赔偿了被焚的鸦片的损失，割让了香港给英国。议和的条约里规定了各国在华的治外法权；这是说，在中国的外国侨民受他们本国的法律而不受中国的法律的约束。中国政府还允诺了“最惠国”的政策；这是说，条约上规定中国假使把利益给任何一个通商国，就应该自动的推广及于其他通商国。另外一些这种“不平等条约”——这些条约所以被这样称呼，因为它们的每一个都不把中国和其他订约国平等看待——规定了中国对于进口货的税率。

鸦片战争结束的时候所议定的条约，虽然给通商各国规定了许多前所未有的权利，它们却还是不满足。它们还没有被允许和北京有外交关系；它们缺少进入宫廷的门路，假使有这种门路的话，通过它是有希望获得更强固的地位的。他们决定要改变这种情形，而北京则继续不允许外交关系，因此，另外的战争是不免的了。在一八五六和一八六〇之间，英国和法国都打了中国。它们占据了广州，又第一次的进兵到北部中国。一八六〇年英法联军占据了京城，为了报复中国的抵抗，故意烧毁了圆明园。这些冲突之后所订的条约里，中国被迫准许了外国外交人员住在北京，而把他们作为和中国平等的国家的代表待遇；准许了传教师可以自由的随他们所愿意的到任何地方；准许了宣讲基督教，把鸦片贸易合法化；以及在北方和沿长江一带给各国以特权。

扬子江是从海到辽远的内地的伟大的交通要道。当外国人被允许在沿着它的两岸的一些地方活动之后，对于中国的结果就严重了。一位现代的美国作家描写那逐渐造成的局势说：

> 没有亲眼看见中国的沿江城市的人，是不容易相信它们是如何的容易被英国、日本、法国和美国的海军慑服的。所有这些城市都是沿江建造的，依赖着江，为了江和通过江而存在。而这江，正和我一样并不是中国的。在它的水里，即使大巡洋舰也可以上驶到汉口，炮艇则可以到重庆和宜昌。所以，中国的沿扬子江两岸的地方是不能认为独立的了，除非在理论上；假使地图的制作是依照实际而不是依照政治的虚构，那么中国地图就会显出是一个国

家被钉在一条可怕的外国河流上。[1]

说到北方的特权，早在一六八九年，中国政府就和俄国订定了条约，随后议定了商约，会商了西伯利亚和中国北部边境——这里有的是中国的属地，有的是本土——之间划界的问题，在一八六〇年，大约正当那些从海道来的国家获得了在华特权的时候，俄国又和中国新订了条约，根据这条约获得了本来属于满洲领地之内的、黑龙江以北和乌苏里江以东的地方，还有东部沿海的区域，其中包括海参崴这一个太平洋的海口。满洲，这进入亚洲内陆的要道，这有广大的平原和未开发的资源的地方，就这样被俄国部分的包围了。

当帝俄在北部扩张的时候，其他欧洲国家也想增加他们的占有物。一八六二年，中国被迫割让交趾支那的一部分给法国，稍后又把缅甸的一部分让给英国统治。一八八五年法国夺去了安南；明年，英国把缅甸的其余部分也占据了；一八八七年，澳门又割让给葡萄牙。这些和其他特权，欧洲各国假使没有中国政府的官吏的帮

[1] Sheean Vincent，*Personal History*，p.223.

助还不会得到。这些官吏利用这种机会，受这些要求特殊权利的外国的贿赂来增加自己的财产。最早的居间人本来是叫做“买办”的商人，他们只管商业。现在，当贸易权之外又加上外交的和领土的特权之后，一个新的官僚买办的典型就出现了。这个典型的第一个有势力的政治家，是李鸿章。他身居要职多年，主持过重要的对外谈判，其中有一八九四——一八九五的中日战争之后和日本订的条约。

政府的腐败，还有大量赔款的必要负担，大大的增加了国库的开支，于是政府就征收重税，这又加剧了人民的贫困。早在十九世纪的四十年代和五十年代，当经济的压力开始加重而外国船只一来贡献了一种交通工具的时候，中国农民就开始移居海外，他们大多最初是做包身工。移居加里福尼亚的中国人做了许多那第一条横贯美洲大陆的铁路的建筑所需要的手工劳动；夏威夷的中国人在甘蔗田里工作，对于夏威夷群岛的繁荣尽了部分的力量。他们移居古巴、秘鲁、英属几亚那、加拿大、新西兰和澳洲等处，还有他们老早已经移居过的菲列宾群岛和东印度群岛。因为贫穷而移居的中国劳动者，能够比其他劳动者便宜一点的雇到，因此在那些生活程度比较高的国家里，他们的出现是特别被怨恨的。结果，许多国家后来都限制中国移民了。美国、新西兰和澳洲最后都排斥中国劳动者，而加拿大对于中国移民征收很大的人头税，加以限制。这样，正当外国对华的压迫增加因而加剧了中国人民的贫困的期间，移民的出路——特别是到那些生活程度较高的国家——却被限制了或是被完全截断了。

同时，又发现了一个把中国作为不平等的国家看待的新的方法。海关是政府的一部，但和贸易有密切的关联，因此商家希望要有效的管理它。满清官僚的腐败是出名的，所以外国人安排了把中国海关给他们的本国人管理，这些管理人则由中国政府聘请。英国人洛贝尔特·赫特是中国关务的最初的组织者，他主持了四十五年，把海关在稳固的基础之上建立了起来，这不仅有利于和中国通商的外国，也同样有利于中国政府。但是海关所收到的税款存放在外国银行里，这样巩固了这些银行的地位。通过这些银行可以控制外汇的兑率，使它有利于外国。

在下面要描写到的伟大的太平天国（一八四八——一八六五）叛乱的期间，中国政府为了筹钱来压平这叛乱，实行征收过境商品的地方税。货物经过各省的时候在每一个边境上要被征税一次。外国商人设法获得了运输货物不缴“厘金”的权利，而独立经营的中国商人却必需缴付这种种捐税。这阻碍了中国商人的活动，或是推动了他们去依赖外国商家。外国人大多是居留在租界（或是允许他们居留的地方）里面，而通过中国买办进行商务，中国买办负责运输货物进出商埠。买办来往于远方的制造者和内地的买主之间，这样获取他们的利润。内地的人民开始感到一种经济的压力——这是那些住在老远的沿海城市里的莫明其妙的洋人的活动的结果。

传统的运输工具还被用着；现代的公路和铁路的缺少，对于如上所描述的情形之下的商业的发展并没有什么阻碍。虽然如此，在一八七六年，上海和吴淞之间有一条狭轨幅的、只有几英里长的小铁路造出来了。中国人带着一些迷信的恐惧看待它，因此政府把这外商创办的东西收买过来毁掉了。但是，到了十九世纪九十年代的初头，中国政府也开始在北方建筑一些铁路了。

算到这时候，中国已经和现代的西方国家接触了大约六十年了。这帝国差不多没有采取什么使国家现代化的步骤，而同时，却不得不对外国退让，给它们赔款，接受不平等条约，以及把自己的一些土地割让给它们。但是中国仍然能算一个强国的这种观念，却被坚持着一直到一八九四——一八九五的中日战争之后才消灭，在这次战争里，中国竟被它从来不加重视的一个小国所击败，因为这小国自从在一八五三——一八五四年被迫开放了它的门户以来，已经迅速的改变了。在和西方各国接触的期间，中国政府并没有要国家现代化的企图。中国没有像日本那样给现代的实业一个顺利的开头；没有改造政府，建立一个新的教育制度，以及训练和装备成一个现代的海陆军队。要理解中国和日本对于现代西方势力的冲突的反应为什么不同，这需要考察一下这两个国家之间的显然的差异。

第一个差异是领土和人口的大小。中国领土的大小约等于美国，而日本本部三岛——那时候的日本人所占据的地方——的地域比美国的蒙大拿州还小。中国人口，估计起来，在十九世纪六十年代，想必已经不止三万万人，而日本人口在那时是近三千万人。

另一个差异是在政治上，日本被用专制的方法统治了几百年，人民有长久的被管理的习惯。在中国的情形却大不相同。统治这帝国的，是一个从上而下的委任的过程——皇帝委派省官，省官再委派他的下属，这样直到村庄。村民们从他们自己的人员里面推举首长，而且自己处理他们自己的事务。如我们所知道的，帝国的政府时时向村民作特别的需求，例如征丁入伍和做公共工程的强迫劳动；但是这些需求往往是隔了许久才有一次的，所以人民处理自己的独立的村庄内务较之受上层的管理更为习惯。

中国人民里发展了地方主义。不但华北、华中、华南的人民各自认为他们和别处人民不同，就是各个村庄里的人也认为自己是特属于某一村庄的人员。白居易的话——

> 生为村之民，
> 死为村之尘。

是诗意的解释了一个有很大的重要性的事实——村庄的自足的独立性。和这不同的，那是在日本强固的发展了的、封建的忠节的情操——这忠节，只要向日本人加以新的解释就可以获得某一种的群众响应了，而这种群众响应在中国却是不能想像的。

纵使中国像日本那样，没有广大的地域，没有习惯于处理自己的事务和习惯于小单位的独立活动的、广大的人口，改造中国的问题也比改造日本的问题复杂。因为迅速的变更对于日本人是投合的，而对于中国的传统却完全不能投合。如我们所知道的，中国从来没有急忙的采用外国的形式。

只要把这些少数的差异加以辨认之后，就很容易知道，日本少数的领袖要迅速的把他们的国家现代化是比较容易的，但在中国——纵使中国的官吏曾经想做——这工作却有不同的性质。它复杂得多，而且规模更大。

假使中国要生存下去，就必需改良政府，这在不幸的中日战争之后是许多中国人都明白的了。外国——包括从此以后对中国采取了日益活跃的帝国主义政策的日本在内——也显然看出中国是软弱得出乎他们的想像之外的，因此，已经侵入中国的列强就加紧他们的压力了。帝国主义，我们现在知道，是在列强获得了租借地和特许权的时候开始的。帝俄获得了南满的辽东半岛的租借权；获得了在旅顺、大连湾停泊军舰的独占权；获得了建筑中东铁路的允许，这铁路连接着西伯利亚大铁道而横贯北满成为到海参崴的捷径，还获得了建筑南满铁路的权利，它从中东铁路的干线分出，向南直达驻扎了军舰的大连湾。另外，为了维持铁路，帝俄还得到了管理沿线区域的权利和开采附近的森林和煤矿的权利。这样，帝俄不仅包围了这诱人的满洲平原，而且造成了统治它的全境的地位了。作为中日战争的结果，中国被迫放弃了对于朝鲜的名义上的统治；日本这时对于朝鲜则居于保护国那样的地位。德国在山东获得了权利，其中包括胶州湾和附近一大块陆地的租借权，还有在山东筑铁路和造炮台的权利。英国租借了北方的威海卫港，和南方的香港对岸的地方。法国也得到了广州湾的租借权。中国的领土，是很快的被列强分割了。

中国的某些部分现在实际上是各国的殖民的属地

了。而且中国的殖民地化的情形还不限于那些割让或租借给各国的区域。中日战争之后给日本的赔款的数目很大，为了支付它，中国不得不仰赖于外债。外债的条件之苛，证明了它是绞杀中国和使中国降入殖民地地位的另一个手段。放款是长期的，利息很重，假如照一个典型的借款算来，中国要偿清本利就得付出借得的实数的百分之二百八十三。而且，为了担保借款，外国人就更加强了对于海关的控制，把海关的税收首先充作还债之用。[1]

显然的，列强为了使中国变成殖民地国家而互相倾轧，这使中国的政治改革成为非常困难的问题。但是，此外还有附加的纠纷。慈禧太后从一八六一年以来暗暗的操纵了政权。她的个性很强而果断，但是她没有看到现代势力的冲击的重要性；她表示不愿对于中国所遭遇的新形势加以调整。于是这时候的改革者就努力通过皇帝来实现他们的主张。这位皇帝很受康有为和张之洞的影响。康有为是广东人，他曾经拟定了一个激进的改革计划。张之洞曾经做过一篇长文，叫做《劝学篇》；据

[1] 见一九三六年六月 *Pacific Affairs*（Vol. Ⅸ，No.2.）中 Asiaticus 所作之文。

说这文章流传很广，印刷和发行了一百万份。在这文章里，张之洞说：

……今日之世变，岂特春秋所未有，抑秦汉以至元明所未有也。……吾恐中国之祸，不在四海之外，而在九州之内矣。……

他把他的文章的内容归纳成为五点，即所谓“五知”：

一知耻：耻不如日本，耻不如土耳其，耻不如暹罗，耻不如古巴。

二知惧：惧为印度，惧为越南、缅甸、朝鲜，惧为埃及，惧为波兰。

三知变：不变其习，不能变法；不变其法，不能变器。

四知要：中学考古非要，致用为要。西学亦有别，西艺非要，西政为要。

五知本：在海外不忘国，见异俗不忘亲，

多智巧不忘圣。[1]

改革者当权一百天，这期间他们下了一条一条的命令修改科举制度和规定举办洋学堂。他们主张西学和国学并用，学校里两者都教。但是由于慈禧太后的干涉，这为期一百天的改革就中止了。慈禧是暗中受北方官僚袁世凯的支持的。光绪皇帝被软禁了，改革者被迫亡命外国。这次维新运动的命运显出了中国的另一个弱点，这就是地方主义会时常发生不幸的影响。这次政变中，京城里的北方人不肯支持维新者，因为他们是别处人。

拳匪之乱（这后面要讲到的）之后，慈禧太后知道她不能再公开的反对政府的改良和中国有些法制的现代化了。一九〇〇年，十三世纪以来作为政界的基础的科举考试被废止了，代替的是包含西洋学问的新的考试。新军训练开始了，袁世凯是负责者。太后的参谋人员劝告她建立君主立宪来代替古旧的官僚制度，于是派遣了大臣到各国考察政治。这些人考察回国之后，皇帝曾经

[1] Macnair，Harley Farnsworth，*Mordern Chinese History Selected Readings*，pp.574-575.

颁布一道诏令，准备立宪：

本朝自开国以来，列圣相承，谟烈昭垂，无不因时损益，著为宪典。现在各国交通、政治制度，皆有彼此相因之势。而我国政令，积久相承，日处阽危，受患迫切，非广求知识，更订法律，上无以承祖宗缔造之心，下无以慰臣庶治平之望。现载泽等回国陈奏，皆以国势不振，实由于上下相睽：官不知所以保民，民不知所以卫国。而各国之所以富强者，实由于行宪法，取决公论，君民一体，呼吸相通，博采众长，明定权限，以及筹备财用，经费政务，无不公之黎庶。又兼各国相师，变通尽利，政通民和，有由来矣。时处今日，惟有及时详晰甄核，仿行宪政，大权统于朝廷，庶政公诸舆论，以立国家万年有道之基。但目前规制未备，民智未开，若操切从事，徒饰空文，何以对国民而昭大信？故廓清积弊，明定责成，必从官制入手。亟议先将官制分别议定，次第更张，并将各项法律，详慎厘定，而又广兴教育，清理财政，整顿武备，普设巡警，使绅民明悉国政，以预备立宪基础。著内外臣工，切实振兴，力求成效。俟数年后，规模粗具，查看情形，参用各国成法，妥议立宪。实行期限，再行宣布天下。视进步之迟速，定期限之远近。著各省将军督抚，晓谕士庶人等，发愤为学，各明忠君爱国之义，合为进化之理。勿以私见害公益，勿以小忿败大谋，尊崇秩序，保守和平，以预储立宪国民之资格。有厚望焉。[1]

这还是一道很普通的诏谕，并没有提出适合于中国当前的危机的特殊改革。在这时候，各国在远东的地位正发生着变化。日本由于中日战争的胜利在高丽得势之后，这时和俄国发生了战争，俄国的根据地是满洲，所以这次战争（一九〇四——一九〇五）几乎全部是在中国陆地和中国河海上进行的，这对于中国的领土完整带来了新的威胁。日俄战争的结果，日本从俄国手里拿

[1] Macnair, H. F., *Mordern Chinese History Selected Readings*, pp.674-675.

去了辽东半岛的特权和南满铁路。在一九〇四——一九〇六之间，俄国在西伯利亚的发展以及向南在蒙古伸张势力，这刺激了英国，它就从印度派兵侵入西藏（中国的一个属国），获得了一些贸易特权；西藏除非获得英国的同意不能和别国订任何商约。

从一八三九以来，这一时期中美国的地位和其他压迫中国的国家始终是不同的。美国并不希求领土的让与，而且对于瓜分中国当然是反对的。它曾经提出列强所接受的"门户开放"的意见。但是，第一个和中国商订"最惠国"条约的也是它，这表示出它有从别国在中国取得的任何利益中分肥的存心和欲望。它也要求了治外法权和这附带的一切特权。它自从拳匪事件之后，就驻扎了军队在中国，它在北京的公使馆也有它的军队驻守；它借款给中国也是和其他国家同样的条件。在许多重要的事情上，它对中国行使帝国主义的压力。在中国方面，这是并不特别重要的，因为别的国家所加于它的压力更大得多；但在美国方面，这过去是，现在也还是重要的，因为这使它牵入远东的争端，因而陷于某种局势之下——这种局势过去曾经造成武装的干涉，将来也许还要造成。

一九一一年，中国的全盘局势改变了，因为这一年发生了推翻满清的革命，建立了民国。从此以后，帝国主义除了运用本章已经说过的诸种老手段之外还运用新的。国内混乱的问题因为外国的干涉而复杂化了，各国选定某一政府或某一军阀加以支持，造成中国的内战。使远东的局势发生变化的另一个原因是世界大战；它吸引了欧洲各国的全部注意力，使日本在亚洲可以自由行动。结果，日本从一九一四以来变成了在中国的主要帝国主义国家。

日本的帝国主义也是照着老路线进行的。它从中国夺去了广大的领土，而且还要作进一步的攫取。日本在华的工厂榨取了中国的劳动。日帝国主义利用治外法权；它驻扎军队在中国，遣派军舰在中国领水里游弋，“保护”日本的投资和侨民。它放债给不同的政治集团，压迫中国尽先聘用日本“顾问”。中国人的不可避免的反日行动被日本用作借口来向中国政府提出新的要求。日本的军火，一部分是用买来的或抢来的中国原料制成的；制成之后，又卖给中国各个政治集团，这样来延长中国的内乱。我们知道，别的国家也用过这些同样的策略，但是近年来的日本，它在这条路上是比其他任何国家走得更远的。

日本对华政策的一个结果是自觉的民族精神在中国的产生。这个精神可能使中国融合成一个新型的政治统一体；这种政治的统一，不妨说是建立在民族主义的情操之上的，它是中国从来没有经验过的。一九三一年中国曾经无效的请求国联来把它从日本的侵略之下解救；但是最近，中国显然是觉悟到它必须自己救自己了；假使它当真这样做法，一切中国人是一定会共同行动的。

然而，许多年来被帝国侵略的结果使中国陷于一种不利的地位：使它对于任何国家的侵入的抵抗都受着严重的妨碍。再则，由于革命的尚未成功，中国是依然分裂的。下面我们就要说到这没有完成的革命的事迹。

第七章　一八四八年以来的革命运动

提　要

骚乱和革命连动	类型：大目标	结果	人物
太平天国之乱（一八四八——一八六五）	反对某一朝代的简单的农民暴动的最后一个。	被压服。	洪秀全，叛徒领袖；曾国藩，领导镇压的汉族人。
拳匪之乱（一九〇〇）	排外。	被外国军队压平。	
辛亥革命（一九一一）	反帝制；争取民主议会制。	民国成立；政治改革被军阀所阻碍。	孙中山，中国革命之父；袁世凯，军阀。
广东革命（一九一三）	反北京政府的非宪法的统治。	被北京政府压服。	
南方的革命（一九一五）	反日；反北京政府。	北京政府对于南方的统治只剩名义。	
学生运动（一九一九）	反帝国主义；反北京政府。	北京政府的政策受了影响；南方的国民党的成份开始变化。	

续表

国民党的改组（一九二三——一九二五）	反帝国主义； 争取国家的统一和独立； 争取经济改革。	国民党的巩固与扩大。	鲍罗廷，国民党的共产党顾问长。
工人示威（一九二五）	反帝国主义； 争取工会的建立。	抵货； 罢工。	
国民军北伐（一九二六——一九二七）	争取统一、独立和经济改革	群众运动发动了，随后又被压制了。	蒋介石，国民军的司令，后来建立南京政府。
共产主义运动（一九二八——　　）	争取根本的经济改革； 反帝国主义，特别是日本； 反南京政府。	继续的分裂和继续的革命。	
两广事件（一九三六）	反日； 反南京。	南京对于南方的控制力显然的增加。	

在中华帝国的悠长的历史上，当统治的集团趋于腐败，而农民的生活状况日益恶化的时候，就发生朝代的更迭；破产的或是被压迫的农民做起土匪来，成为叛乱的武力的核心，而由于这武力的帮助，最后就建立成一个新的朝代。自从第三世纪时汉朝灭亡以来，外来的侵略者们，对于以后新朝代的建立尽了一些作用；地方分裂也有它的影响，但是主要的原因，还是在不满的官吏的领导之下的农民叛乱。每一个朝代，当它不能使人民

免于过分的榨取的时候，就不能维持下去了。现代的政府，假使同样的不能做到这一步，那是也不会安稳的；但是如何做到这一步的问题，在现在比在以前的中国历史上，却是复杂得多了。外国人，由于他们的工业品，他们的政治压力，他们的骄傲的态度，以及他们的攫取中国领土，因而已经成为中国人民的困苦的显然的祸根。而且，外国势力侵入以后所引起的生活上的变化，使得那种用叛乱来重建过去的生活的希望，成为不可能的了。过去一世纪内中国的叛乱和革命的问题是必然的复杂化了。政治问题和经济问题纠结着，内乱和排外暴动纠结着；驱逐外国侵略者的欲望，改变了社会的和经济的革命，而且赋之以特性；领导作用受了外国传来的新知识潮流的深刻影响。整个这一时期中，工人和农民——人民的两大集团——的生活被日益尖锐化的经济问题磨难着。租增加了；税繁重了；外国的竞争阻碍了实业化；本国资金，被外国对于中国最大的工厂的控制所束缚，只得投入土地，或是成为高利贷以求迅速的获利。社会革命的基本原因——普遍的贫困——因为政治情势的复杂性而不能找到它的充分的表现。

最后的一个简单的农民叛乱开始于一八四八年。自从一八四八——一八六五的这次太平天国的叛乱以后，所有的暴动、叛乱和革命都没有这么简单了。它们主要的是被支配了向外反对帝国主义，而不是向内集中在经济改良的争取。今日中国的任何革命运动，都不能是一个简单的农民暴动；它必需顾到把国家从帝国主义的统治里解放出来的必要。但是除非展开了一种运动，能够使人民获得较好的生活状况，而因此建立起民族解放的强固的基础——那么，中国革命是不能完成的。

太平天国的叛乱是最后一个专对那不顾人民利益的清朝而发的、平民的、民族主义的暴动。它的目标是推翻满清而建立一个新的朝代，这朝代因为靠了民众的帮助所以会把他们的生活状况改善一点。它是一次大事件，在它被最后镇服之前，中国十八省里曾经蔓延了十六省之多。城市被夺过来又夺过去；生命和财产被一大批一大批的毁灭。这个叛乱不是没有外来势力的影响的。它开始于华南，而那里的基督教教会已经建立了几年。叛乱的领袖洪秀全自称天王，他宣布了一种新的三位一体——“天帝”是“父”，耶苏基督是“天帝长子”，他自己是“天帝次子”。一种世界上任何地方的民众暴动里常常可以看到的宗教狂的精神，把中国农民卷进了这个运动。人民袭击了满清的驻军；从地主手里夺过了土地；赶走了压迫他们的税吏。

因为太平天国的领袖用了一些基督教的言语，外国最初只当是中国人改宗的表示，因而没有干涉。但是天王并不是正统的基督徒，这很快就明白了。外国的商业利益和地主的私人利益一样的被这位带着他的渴求土地的农民群众的、莫明其妙的领袖所威胁。这个大叛乱，外国军队是没有镇服它的希望的；它蔓延了中国的大部分，而且满清军队已经证明了无用。因此，宁愿还是满清而不愿产生一个新的莫明其妙的朝代的各集团，就联合起来镇服了这个暴动。这次征讨的领导人物，汉人中间是曾国藩；他是一个旧式的士大夫，一个正直而能干的人，出身是农民，但不是比较贫穷的等级的农民。曾善于练兵，外国则在上海附近贡献了一些助力。（英人戈登领导所谓“常胜军”，“中国人”常常认为太平叛乱的镇服得力于他，但是这样的估计是过火的。）

曾国藩之所以替满清负担镇压太平叛乱的责任，这也许可以从如下的事实得到解释：他一定是认定那宗教狂的天王所描述的那种新秩序，比旧秩序——即使是崩溃着的满清统治之下的旧秩序有害。他的利益和农民里的较富的集团的更密切的联结着而和较穷的集团的不一致，这也是可能的。至于外国之所以干涉，那原因是容易想像的；外国人既然在满清治下获得了根据地，他们就很担忧假使满清被天王推翻，他们的地位会发生问题。在一八六五年，主要的由于曾国藩的努力，但也受了一些外面的帮助，这个大叛乱终于压平了。中国大众为了改造他们生活于其中的环境而作的最后的简单的革命失败了。

从这时以后，暴动和革命运动包含了排外的因素。假使记得帝国主义所加于中国的日益加重的压力，我们就能够理解排外的行动和感情了。而况，十九世纪的外国人对待中国的态度，和前一世纪所表现的赞美是不同的。洛贝尔特·赫特爵士训诫他的海关属员的行为的文告，使我们可以看出许多在华的外国人所采取的一种自以为优胜的新态度：

海关的管理，是中国的而不是外国的事业，这应该清楚的认识和经常的记住；因此，每一个关员的努力目标，是要在接待中国人——人民和官吏一样——的时候避免引起任何的愤慨和不快之感。不管在华的其他外国人，或是根据他们的地位，或是根据幻想的比中国人优胜，因而认为他们有权利有资格任所欲为，或是用专横的态度，践踏与自己不同的成见和轻蔑与自己不同的风俗习惯，来显示他们的优越的教化——不管他们怎样，但是希望你们这些拿中国的薪水、做中国政府的仆役的人，至少要既不伤别人的感情，也不引起妒忌、怀疑和嫌恶。所以，在和中国官吏或人民打交道的时候，海关的外籍雇员应该记得，就官吏而言，大家都是同一政府之下的同僚；就人民而言，他们是，在某种程度上，有成为某一意义的中国同胞的义务和责任的；怀着这种观念的人就会用礼貌对待中国官吏，用友谊对待中国人民；——礼貌可以使得处理公务的时候获得方便，而从真正的友情出发的行动，会解除许多嫌恶，这种对于外国人的嫌恶是在许多地方普遍的表现着的。

虽然每个外籍关员应该把上节所含的意旨记在心里而且照它行事，但不是，当然不是要任何人忘掉他是一种进步的文明的一个代表，这种文明差不多在每一方面都和这个国家的不同的；同样的，也不是要他硬去克制他的自然的倾向，就是说，他设法唤起对于西方文明的一些兴趣，以及介绍那些在西方的经验里证明了裨益人群的器械，这种自然的倾向是不必加以遏制的。但这里所说的种种，只应该作为次要的事情：每个外籍关员首先要记住的事情，就是，他是中国政府聘来执行特种工作的雇佣职员，他的首要的任务是把这工作做得好好的；辅助这工作的，是那些在进步的列车之上前进的计划和行动；但是为了要有益而顺利，必需有聪明的见识指导这些计划和行动，要耐心的等待机会，要会不带骄矜气派的暗示出来，要努力说服而不是吩咐，以及要会介绍补救办法而不引起因为暴露了缺点而生的恶感。[1]

一九〇〇年的义和团暴动是反对外国人的一个粗暴的运动。它是被慈禧太后所鼓励的，她愤慨外国的侵略，但是却不理解外国人的现代军备的力量。外国军队压平了这次暴动，这些军队在天津集合，然后进军北京，在那里许多外国人正有生命的危险。压平了义和团之后，列强之中有许多国家提议，为了叛乱期间它们所受到的损失，要重重的惩罚中国；但是后来的条约并没有如它们所提议的苛刻，这一点美国的态度是大有作用的。然而还是勒索了很重的赔款；北京的各国使馆从此就由外国正规军设防驻守。到一九〇八年，美国归还了庚子赔款，作为栽培中国人留学美国和在国内某一个新式学校（指清华书院）读书之用。到第一次世界大战之后，那些一直继续索取赔款的列强也照美国的样子把庚款归还

[1] Macnair，Harley Farnsworth，*Mordern Chinese History Selected Readings*, pp.384-385.

了。

应该知道，“拳匪”之乱虽则不是反清朝的，但是反对政府的情绪已经增长了。和这相伴的，是对于各通商国欺压中国的态度的愤慨。一个革命运动在发展着了。它的目的不仅是推翻腐败的清朝，而且要在中国建立一个国会制的政府，使中国能够应付由于外国的侵略所造成的新局势。早期的革命者的着重点是政治的而不是经济的，这一点有重要的意义。

这新的革命运动大体上局限于南方，它的领袖是孙中山。他是广东人，他的早年生活的一部分是在夏威夷度过的；后来他回国学医，但是他对于政治改革比医药实习有兴趣得多。因为他的革命活动，他不得不把他大部分的时间消磨在国外，他在海外的华侨里从事鼓动，从这些华侨得到金钱作为国内革命运动的经费。所以，他和中国国内的发展是失了接触的，而他所接触的是在宪法制度的——那时是很普遍的——政治之下的生活。因此他在最初几年倾向于提倡应该建立怎样形式的政府，而不着重经济的改革。这投合海外的中国人；而对于中国大众，即使这种观念能够传播到他们里面，也没有什么作用。但是没有大众的支持，任何革命也不能好好的完成的。

然而，国内已经广泛的发生了民众的不满，一九一一的革命于是随着武汉附近的民众暴动而开始了。太平天国大叛乱的恐怖还没有被忘掉，有许多人是不愿意让一个新的人民暴动扩展起来的。地主不愿意失掉他们的土地，商人不愿意他们的商业被扰乱——至于外国，那当然不愿意丧失他们所获得的广大的租界，丧失他们所控制的势力范围，以及丧失一切其他特权，这些特权一直是他们牺牲中国而享受着的，在一个广大的叛乱里它们会被缩减或是完全被破坏。那时候唯一拥有新式军队的将领袁世凯，于是就设法在民众暴动还没有闹得太厉害的时候把它加以遏制。孙中山被南方的他的信徒推举做了中华民国的第一个总统，但不久就辞职了，于是那位北方军人袁世凯就做了总统。大众的物质情形，本质上还是和以前一样。革命者所关怀的，主要是建立一个新的国会政府的形式——而袁世凯则极力的扩张他的权力，不管他身上负着的是“总统”的衔头。

这个“民国”，它的人民的大多数甚至还不知道龙座上现在已经没有了皇帝，而它的新总统袁世凯，又决计算不得一个革命者。相反，他倒是在前清曾经历任要职的一个军事的官僚主义者。既然他是旧官僚里的一员，他当然不会想到他应该，譬如，像美国总统对美国人民负责那样的，对中国人民负责。相反，他所想到的只是照传统的方法来支配。国会成立了，它的议员大多是孙中山的国民党的代表，但是袁世凯不理睬它。一九一三年他提议进行大量外债的借贷，而不征求国会的同意。人们知道袁的手里有了这些债款之后，他就可以任所欲为，而且可能是用这些钱蓄养军队来镇压南方的革命运动——这运动主要的还是在争取国会制的政府。一些民族主义者劝告外国不要借款给袁，但是这些放款者不听；当借款成立之后，广东省就爆发一个反对袁世凯反宪法的统治的新革命。袁不但镇压了这个叛乱，而且从国会里开除了所有国民党的分子，这样，在他当权的时候要想建立国会来控制行政的希望是确实办不到了。袁把自己的人派到每省做督军，而且从国会——现在这里面除了他的支持者之外没有别人——获得了终身总统的任命。一九一五年，欧洲列强正在大战，日本向中国强硬的提出“二十一条”要求，袁世凯接受了这些要求之后，接着宣布他要重建君主政治，自己做起皇帝来。这引起了南方另一个革命；在北方，也有人不赞成袁对于日本的屈服，并且非难他的个人野心，和这野心使得中国日趋分裂的作用；这些人也反对他。袁死于一九一六年，留下一个比在清末更加混乱和分裂的中国。

因为袁世凯被任为终身总统，所以后继者的选举的机关一点也没有。这正是让任何拥有武力的野心家来攫取政权的大好机会。因为袁安置了军人在各省，所以这样的野心的军阀很多，特别是在北方。这些互相竞争的军阀，大多是当他们获得某种程度的成功的时候就弄出一个傀儡总统，来敷衍舆论，而那总统就任命他们做他的阁员和官吏。因为北京还是被公认的政府总部的所在地，所以控制北京的军阀能够得到外债。华北因此成了战场，因为军阀必需弄钱来雇他的军队，而且必需有军队来维持权位。这时候的外债大多是日本一国供给的，这对于中国是很有害的事，足以危害中国的完整，因为日本这样就能够逼迫北京政府接受它的条件和加强它对于中国内政的控制。华北因此特别经验到日本的日益增加的要求和干涉了。

同时，南方的情形和北方则不同。在一九一五年，第三次革命之后，南部七省宣布了脱离北京政府而独立。在孙中山先生和其他人的领导之下，广州组织了一个新政府来管理南部诸省；到一九一九年，这个政府能够从海关拿到一些税收，这以前海关的收入是完全送到北京去的，不管南方已经宣布了独立。但直到这个时候，国民党还是小的，它的成份主要的是在外国留过学的知识分子，而且对于中国的急切的需要，各人的观念并不相同。

到一九一九年，这个党的成份开始变化。最先加进来的是那些为了凡尔赛和平会议不顾中国的要求因而起来反对北京政府的学生。中国曾经在一九一七年加入协约国的一面帮助了作战，曾经派了工兵队到西部前线。它作为战胜国之一而在和会里提出它的希望，这里面包括废除治外法权和归还被日本占据的在山东的德国租界。和会对治外法权的全部提案不加以理睬，而且议定把德国租界给日本。中国学生责备北京政府的辱国丧权，举行了大规模的示威，于是政府就没有在条约上签字。

这个经验唤起了学生的政治自觉，他们准备关心政治问题了。当孙中山的著作在一九一九年开始在他们中间传播的时候，许多学生都赞成了国民党的纲领。其中有些还更进了一步；他们读苏联的文学，甚至到苏联去学习关于共产主义理论的更多的东西。一九二〇年，第三国际的亚洲会议开会的时候，已经有中国人出席；第二年，中国共产党就成立了。这新的急进的学说用地下工作的方法在学生里、随后在产业工人里传播着；对于这主义的兴趣，主要的不是由于外国的宣传而是由于混乱的国内情形所唤起的，这种混乱的情形改变了学生的脑子，使他们去注意国家大事以及社会的和政治的理论。

在接着袁世凯的死而来的政治分裂的过程中，孙中山先生在一九二一年被举为广州的革命政府的总统。在这时候，国民党里包含着许多急进者，也包含着许多主张温和改良的人。它比从前扩大了，但它还没有一个贯彻的和被共同接受的、合于中国人民的需要的理论。它没有广大的农民基础，缺乏经费，也没有军队——有了军队就有希望用它来打倒军阀，恢复秩序，和驱逐那些对于中国的许多困苦要负责任的帝国主义者了。在孙中山先生看来，一个军队是绝对必要的，于是在一九二三年他试想说动美国的、或英国的、或德国的军事人员受国民党的聘请，来训练军队；但是他没有成功。

同时，苏联对中国作了多种举动，给中国一个很好的印象。在北京的苏维埃外交代表，宣布苏联放弃帝俄在中国所获得的一切特权。这里面有治外法权，和中东路附近区域的开发权。苏联和中国议定这条铁路只作为商业性质的企业，由中苏两国人共同管理，而铁路沿线的一切政府、行政和经济发展都归中国政府办理。而且，苏联把它在北京的代表升为大使，这是从来各国遣派到中国来的使节之中的第一个大使。

苏联的这些举动造成了一个良好的印象。当孙中山先生会见了苏联的代表之后，苏联就答应了供给国民党所需要的顾问。孙中山先生知道共产党在俄国进行的革命很成功，于是他想他能够由于有经验的革命者的忠告和帮助，把国民党巩固起来。他计划把适用的革命策略和方法学过来而不采取共产主义者的原理。

苏联派来的主要的顾问是米海意尔·鲍罗廷。他劝告孙中山，在国民党里也像在共产党里似的必需有统一的主义，统一的党的组织，和一个严格的党的纪律。为了解决这里的第一点，中山先生就设定了他自己的理论，这就是众所周知的“三民主义”。这些显出了孙中山的观念里所发生的变化；他所最着重的已经不是政府的形式，而是人民生活的改善了。

在党的组织上，孙中山先生十分愿意采取共产党的组织大纲，有地方党部，有党大会，有中央执行委员会，有由中委选举的政治局，行使行政权和立法权。党的纪律实行了；成份扩大了，允许中国共产党参加，但是个人不能代表党而说话，党的决定由中央执委会和政治局去规定。通过这样的组织，国民党是锻炼成一个革命工具了——但是因为党员里有共产主义者和非共产主义者的不同，对于这个工具的运用显然是要发生争执的。甚至在一九二五年三月孙中山逝世以前，国民党里这两个要素的磨擦的征候已经有了，他死之后，对于党组织的支配的斗争就尖锐化起来，而很快的带来了不可避免的分裂。

鲍罗廷是最清楚知道党的组织的人，因此他能够用迅速的动作来巩固共产主义的要素。他组织了青年运动，组织了工人、农民、兵士、学生各种联合会。他把在黄埔训练出来的新的国民军放在一个军事委员会的开明的支配之下，这样就不会有什么指挥官把他的部下作为他个人的军队而像那些军阀似的独立行动。他在每一个军队里设一个政治部，在兵士里工作。一九二五年五月三十日的事件所激起的反帝国主义者的情绪，使中国的民族主义紧张了起来，给共产主义者造成了扩大他们的活动的良好机会。

一九二五年特别有许多的罢工，尤其是在外商的工厂里。五月三十日，上海的学生和工人因为一个日商工厂的工人（顾正红）参加罢工而被惨杀，于是举行一个追悼会，随后出发到马路上游行，高举着写了“废除治外法权”、“取消不平等条约”之类字句的旗子。英租界的西捕对群众开枪，打死了许多学生和工人。一个外国观察者（侵略者的代言者）说：

> 在中国历史上，五卅是永远不会被忘掉的。从现在回头看来，那事件本身和其后在中

国发生的许多事件比较起来的话，是算不得什么的，但是它对于中国人民的影响却曾经是那么巨大……

这个事件发展成了中国空前的、酷烈的、排外主义的表现，在一些方面甚至比拳匪之乱更凶猛。英国人被标明为中国人的仇敌，英国货和只要是英国的一切东西都被抵制。不管那一国籍的外商工厂里的工人，都罢了工。外国轮船的装货也停止了。家庭里的仆役，甚至上海的美国领事馆和北京的英国公使馆里的仆役，也被号召了不做……五卅运动的最坏的局面总算到那年十月里才完结了，但从此以后每年的五卅都要发生事故，这一天被作为一个国耻日纪念着。[1]

就在这时候，蒋介石第一次崭然露了头角。这以前，他只是黄埔军官学校的校长。现在，他和鲍罗廷一起工作，做了军事委员会的委员长，政治局的一员，和一个

[1] *The China Year Book*，1928, p.1326.

军司令官。有人认为他是一个共产主义的同情者，但很早在一九二六年三月当鲍罗廷不在广州的时候，他曾经想把共产党从这个城市驱逐。但是两个月之后，他却把他的反共的下属加以摒斥。这据人们猜测，或许是为了获得鲍罗廷对于随后不久就开始的北伐的帮助之故。

北伐运动开始于一九二六年六月。军队由政治工作人员协助着；这些政治工作人员进行的宣传运动是出色而成功的。因为获得了广大的工农的支持，所以任何留守后方的小将领都不能给自己造成权势而转过来反对他的上级——像以前的战争里常行的那样。一个中国人描写北伐说：

> 党员的数量大大的增加了，组织在国民党的领导之下的县份也增加到前所未有的数目。军队每从敌人手里占领一处地方，党的组织就马上建立起来，把这地方的事情放在党的指导之下。党的主义的宣传，由大批的党务工作者负责，以巨大的规模进行着；这些党务工作者是随军的，或是党特别派遣的。党的口号深入

了群众。对城市工人和乡村农民宣传主义的动机，是真诚而纯正的。所以革命军每到一处地方都受民众的欢迎，军队到了村庄里就有农民来报告消息，因而容易获得胜利。在党的各级组织之外，还有工会和农会的组织以狂热的速度发展着。在大中心武汉还有其他城市，劳动者组织了许多工会，从码头苦力到家庭仆役，从工厂工人到黄包车夫。劳动界的每一个人都加入了某种工会，这些工会又联合成更大的工联，所以劳动者是有系统的组织起来的。在国民党势力之下的各省的乡村，特别是在湖南的乡村，农民组织的进行的速度赶上了城市工人的情形。党的主义被向贫农宣讲着；各县的农会在党部的帮助之下建立起来之后，就共同组织一省的农会，各省的农会又组成全国农民联合会。县的和省的工农大会和会议，各处都有；在革命势力所及的全部地方沸腾着工人的、农民的和党的活动。还有必需提到的是各省各县以至全国的妇女联合会。它的目的是要把中国人民的一半也吸入革命工作之内。国民党的妇女运动的目的，广泛的说来，是要把中国妇女从政治的、经济的和社会的无能这传统的羁轭之下解放出来。工作是很顺利的，有大量的青年妇女走出了她们的家庭而为党工作。

在那时候，示威和游行是常常有的。它们差不多总是政治性质的。在这些行动里，代表们和党的工作者们就向民众演讲。一切组织里都有一个宣传部，它经常派出男女宣传员到街上对民众讲党的主义和告诉他们时事。行人道上常可以看见年纪很轻的学生和小孩子在向群众讲演。不仅是用这些方法把消息告诉民众，还有由各种组织发行的大量写作品。孙中山先生的著作很便宜的发卖着，销数极其巨大。政治传单每天在街上出现，描写着群众对军阀和帝国主义者的斗争。这些传单假使文字和插图都适当的话，是能够比其他出版物更迅速的抓住群众的情绪的。即使在最偏僻的乡村里也有一两种传单。在那时候，任何人都不能抗拒传单的力量，它能够在一天之内教一人得势或是坍台。

民众是被这样激动起来了，他们都参加了这样或那样的革命工作。这的确是一个群众运动。就是在这样的群众运动的高潮的当中，一九二六年十二月九日国民政府从广州到了汉口，而在那里建立了国民党的政府的首都。这包括武昌、汉口和汉阳三个城市的地方，从此改名为武汉。[1]

当国民军达到扬子江的时候，革命的局势里发生了新的纷扰。这里应该把所谓“钉在一条可怕的外国河流上”的描写回想一下。当新政府定都武汉之后，外国对于这革命运动的干涉就更显露了。在计划北伐的时候，国民党的中央委员会曾经决定国民军要暂时放弃沿海城市，特别是上海，直到打下了北京之后。这个决定的原因是为了上海是外国的统治力最大的地方，假使全国，

[1] Woo, T. C., *The Kuomintang and the Future of the Chinese Revolution*, pp.218-220.

除了沿海城市，在进军上海之前获得了统一，这就比较容易避免外国对革命的干涉。

但是这决定并没有被遵守。上海的银行家和商人，一切害怕中国会来一个共产主义的政府的人，以及各帝国主义者，因而获得了活动的大好机会。他们支持了反动势力。

接着来了大恐怖。一位现在（一九三七）在汉口的美国人说：

> 反革命的恐怖并不是出乎意外的；这些中国青年知道什么在等着他们，但是照旧的前进着。使他们为了主义而贡献自己的生命的推动力，不是像在日本或印度的这类事件里会有的，那种对于“涅槃”的自杀的和神经病的迷恋。这样的神秘的热狂的花样，据我的见闻所及，在中国是没有的。中国革命者的行动是出于一种更冷静的和更纯洁的确信——服务于理想的勇敢，牺牲是宣传这个理想的最好的方法。个人为种族而牺牲，这是中国极通常的，

而青年男女，就为未来的后代而牺牲。

在这样极端形态的英勇献身上，中国人超过一切其他人。在他们的革命的黑暗时代里，任何场合，假使有一次的出卖和懦怯，就至少有一次的忠贞的勇敢。[1]

宋庆龄，著名的国民党领袖的未亡人，她的态度是不屈不挠的。她说：

总理的政策是明白的。假使党的领袖不把它们贯彻到底，他们就不再是总理的信徒，而党也不再是革命的政党，只是这个或那个军阀的工具。它就不再是为中国人民的未来幸福而工作的活力，而变成了一个机器，一个行使压迫的东西，一个依赖现存的奴役制度而自肥的寄生物！[2]

[1] Sheean，Vincent，*Personal History*，pp.226-227.

[2] Woo，T. C.，*The Kuomintang and the Future of the Chinese Revolution*，p.236.

当武汉政府倒台，鲍罗廷和其他共产主义的顾问和同僚不得不逃开中国的时候，孙夫人也和他们一同走了。

据一个美国人的报导，鲍罗廷在离华之前发表了一些重要的意见，其中说：

> 不要当做中国革命是完结了，也不要当做它已经失败——纵使是最暂时的意味。它要回到地下活动。它会变成不合法的运动，受反革命的压制，受反动和帝国主义的打击；但是它已经学习了怎样组织，怎样斗争。迟早……它会再升到地面上。它可能挫折十次八次，但最后一定胜利。中国革命的动力是强烈的，这国家里充满了奇异的革命媒介物。它们每被军阀们破坏一个就有两个或三个新的产生。这里所发生的事是不会被忘记的。[1]

有一个时期，革命运动的确是被压到地下去了，但

[1] Sheean，Vincent，*Personal History*，pp.240-241.

它后面的强烈的推动力，使它仍然活跃着。一九二八年，共产党又在南部中国浮现了。随后五年它受到五次围剿。但这些围剿都没有成功，甚至反而给共产党一些好处，因为在战争中有许多剿匪军变了过去，携带着必要的军火和军需给他们，这样使红军的贫困的物质情形得到大大的补救。

这五次围剿是一个教训，这教训是：不仅要用武力，还要用宣传和经济压力。这时就出现了一个法西斯型的结社“蓝衣社”，还有一个宣传传统的孔子精神的人生哲学的“新生活运动”。剿匪军的军官受了政治训练，苏维埃区域被加以封锁，造了公路，筑了碉堡，运用了最新的美国的和意国的轰炸机，实行稳扎稳打的战略。第六次围剿是比较有效的，但还没有达到消灭红军的目的。他们放弃了主要根据地的江西，分成三路向北和向西出发。向北的一路没有打通，而且指挥官在一九三五年正月被捕了。第二路向西进军，很快的越过湖南，在贵州会合了别的红军。这联合起来的军团就建立了一个重要的苏维埃，包含了湘鄂川贵各省的一部分。第三路（军力比其他各路大得多）在四川西部和本来在那里的红军会合，建立了根据地。[1]一年以后，红军就发展到了甘肃、陕西、山西和绥远等处。

在一九三六以前，中国共产党的主要的口号是国内的改革，他们的地位是防御的。一九三六以后，他们占领了西北诸省的许多地方，接近了抗日前线，他们就采取了攻势的策略，他们的主要口号是抗日统一战线。

一九三六夏末，发生了两广事变。在这事件里，抵抗日本的不断的侵略的问题，不是没有关系的。这事完结不久之后，日本向南京提出了严重的要求，这些要求会使全部中国变成日本的真正的属国。因此，中国人民更团结了，许多团体和党派表示了抗日的决心。

一九三六年十二月，发生了西安事变。蒋总司令回到南京之后，有十四个国民党中央委员向政府提出了一个正式提案，主张恢复孙中山先生的三大政策。这些政策是——和共产党合作，联合苏联，和促进工农的利益。

这提案所将产生的结果，现在（一九三七年上半年）

---

[1] 见 *Far Eastern Survey*（一九三六年八月十四日）中所载 Field，F.V.，*The Recent Anti-Communist Campaign in China.*

是不能预言的。当然，中国今天正在内部沸腾着一些势力，必然会创造出统一来。但是，不到中国能够渡过当前的危机的试炼而出脱成一个独立国家的时候，中国的革命还是未完成的。在前面所描写的一切事情的根底里，横着中国大众的未解除的痛苦。我们在下面要把工农的生活景况来谈一下。

第八章　工人和农民

中国的现代产业工人大约占全人口的百分之〇点五——而农民，大约是百分之八十到八十五。这两个集团在数量的大小上是如此悬殊，它们之间有什么关系呢？

过去一世纪里在中国所发生的变化，给中国工人创造了一个重要的地位，即使他们的数量在全人口里是相对的很小。他们因为生活在产业的和矿业的中心——这些地方是最受帝国主义的影响的——所以是最先受到外来冲击的震撼。在中国最有势力的现代工厂是外国人所有的。外商工厂在治外法权的保障之下营业，不负责缴纳中国的税金。[1]在发生乱事的时候，外人的投资有外国军舰和军队保护。因为有这些特权，所以外国资

[1] 中国政府要求外国人缴所得税的念头是一九三六年才第一次说出的。

本家能够利用中国低廉的工资而收获高度的利润。他的竞争者中国资本家，却没有他那样的特权。中国工厂主被这个竞争所迫，就只给工人比外国厂更低的工资，而且反对取缔童工和规定工资与工时的法律的施行。中国工人在外国的和本国的榨取者之间被磨折着，他们的报酬是亚洲最低的产业工资。

当产业工人受着帝国主义的最初的冲击的时候，这结果必然间接的和最后的支配了农民群众的生活，而又重回到工人身上。因为中国的实业既然被在中国内部的外国竞争所阻碍，所以中国资本大体上还是作为土地投资而追求它的利润的。已经被目前的农业制度弄得破产的农民，不能被现存的有限的实业所吸收。假使中国产业工人的前途希望极少，那么农民更是希望毫无。大量的贫农群众形成了被限制的产业劳动市场的广大的后备军，因此，低廉的产业工资制度就持久不变了。

在中国，招收工人到现代工厂——外商的或本国的——里做工的契约，是有特异的压迫性的。中国的最大的现代实业是纺织业，这些厂里的工人大部分是妇女和女孩子。厂方派遣包工头到乡村里招工，工作的契约有两种，让对方任择其一。一种叫做“包饭”，包工头付一笔款子给一个家庭，于是雇了这家的女儿去做工；契约的时期是双方约定的，通常是三年到五年。这家庭所得到的钱（普通是三十块大洋）就算是预付的工资，以后在契约期间这个女工就一个钱也拿不到了。而且，家庭还要负责压制它的女儿在厂里做满规定的时期。包工头把这些工人带到城市里，在契约期间供给她们吃、穿和住。饭菜是比穷苦的非包身工的工人吃的还要坏，还要少。夜工在一班十二个钟头之内没有一点吃的东西。纱厂通常是每天两班，每班十二个钟头；包工头给包身工预备的床位也跟着日夜换班睡觉。衣服是粗劣而不合身的，在冷得结冰的冬天，这些女孩子只穿单薄的布衣。包工头总是这样那样的设法要净赚大约工资的一半；工资平均五角一天，至多，一个月不会超过二十元。因为在女孩子生病或不能做工的时候，包工头也得供给她衣食住，所以只有害了最严重的病的时候，才准这些产业奴隶离开那永远旋转着的纺缍。

另一形式的契约叫做“代饭”。包工头不付钱给女孩子的家庭。女孩子要自己管衣服的费用，要向包工头买吃的东西和租住的地方。包工头所索取的吃和住的代价要比他的本钱差不多大三倍。假使女工生病，包工头不负供给她吃住的责任。包工头规定六个月是学习时期，虽则那工作其实是几天就学会的；这六个月之内，工资只能照“生手”的规例，那就是二角七分一天。工人在这一时期是不能付清吃住的费用的，结果她就欠了包工头的债。假使她为了何种理由要想废约，她就要偿还盘费和“学费”。假使她想逃走，她的东西就被扣留，而且被记入“黑表”到别处也得不到工作。在上海这最大的产业中心，大都有四倍于“包饭”工人的“代饭”工人。其中最大多数是十四岁到十六岁的女孩。

不在上述契约制度之下的工厂工人，普通是从已经住在城市里的家庭里出来的。他们是可怕的贫穷，住在拥挤的恶劣的棚子里。十五呎长十呎宽的屋子里会住上四家。这些房子是没有自来水也没有装修的。窄狭的街上堆着各家的垃圾。即使在这样贫苦的生活情形之下，一家有一个人做工的话，工资还不够衣食住的费用；据估计，两个工人的工资来支持一个家庭也还是拮据的。因此，许多结了婚的妇女也不得不进厂。在法律上，要做母亲的妇女在产前产后可以有两星期的假，照付工资；但是实际上许多孩子是生在工厂里的。有吃奶孩子的母亲有时把婴儿带到厂里，把他们成天的放在地板上，在热气、灰尘和纤维之中；她们得设法喂孩子而不耽搁工作。假使厂方不许照这样办法来带婴孩，这婴孩就只好由家庭里的别人去设法喂养。

一般说，纺织工人是一天十二小时，一星期七天的工作着；但在一些场合，一个月也会有天把放假。一年之间，他们只得到两三次节假。吃午饭的时候也没有一点休息时间，这在纱厂里是常事。只有缫丝厂里，吃午饭的时候准许一个简短的间歇，因为缫丝的工作必需两只手来做。

纺织业是一些生产过程已经现代化了的最大的产业部门，但同时，矿业也是已经现代化到某种程度的。中国的现代矿业所需要的论千论万的工人，通常是由代理人招募。给矿坑招收工人的包工头所采用的榨取制度，普通是和纺织厂的情形相同的。其中的不同之一是：在矿坑里包工头同时是监工的工头，因此他更多一个在工作时间内驱使他的一群的机会。

至少在字面上，保护大工厂的工人的一些法律是有的；但是规定无数的城市手工业作坊的数量较大的雇佣劳动者的工作情形的法律，却是虚文也没有。小规模作坊的场所，典型的是一所蹩脚的旧式中国住宅，对于它的新用场完全不适合，也完全没有卫生设备。企业开始于小而黑暗的不通风的房间里；当它扩张的时候，屋顶上就搭起了阁楼，房间被隔了又隔，过道越来越曲折了，以至全部成了一座复杂的迷宫，失火的危险随时会有。这样的场所很少制造完成品；它们通常是进行一个过程，例如替军火制造锉光铜质的材料，或是用模型把金属片压成玩具的一部分。这些工作即使在最理想的工厂情形之下也是对于工人的健康特别危险的，所以在上述的那种情形之下，那些劳动者的的确确是要命了。这些工作者大部分是六七岁到十五岁的小孩子，他们都算是经理人收的"学徒"；形式上和老法的师徒一样，但是精神却不相同。旧日的习俗是把小孩给一个亲戚收做徒弟，使他能够学一种生意。关于这孩子的健康和平安，这个亲戚要向他的家属负责，要供给他食物和住宿，要给他某一程度的关照，还要给他职业上的训练。在学徒时期完结之后，这孩子是一定有生意的。在现代产业的情景之下，却大不相同了。包工头到乡村里设法招收“徒弟”，他拿出很少一点钱，也许是五块大洋，于是小孩子的父母就在契约上划了字，小孩在一定期间就属于包工头了，这时期大约是三年到五年。到了城市里，包工头就把小孩再卖给一个小厂的经理人，大约可以卖到十块钱。从此这孩子就在上述的作坊里生活和工作。他和家庭断绝了关系，确确实实是他的买主的一个奴隶。假使他在被置身于其中的这个生活和工作的环境里能够挨过生命，那么在满师的时候，他也许能够、也许不能够获得自由还是不一定的。即使他挨过了生命而且获得了自由，他并没有学到生意，也没有通过学徒训练而得到糊口的手段。

要讨论到中国的工人，那么除了上述的工厂工人和矿坑工人之外，还有其他集团也是应该包括在内的。在学术上，工人这一名称是指在现代产业企业里做工的人，但是在说到中国的情况的时候，我们必需扩大这一名称的含义，因为中国还在一个比较落后的阶段上——在其他地方是用机器或兽力来执行的工作，其中许多在中国却是依赖人力的。例如，在中国工人里有许许多多的黄包车夫；推或拉载货大车的人；没有机械装置的帮助，而装和卸船货的码头工人。

苦力的生活虽则艰苦而不稳定，他们实际上却不是像“学徒”和包身工那样的奴隶；“学徒”和包身工，因为年纪轻，生活闭塞，和性别的关系（像纺织工人的场合），不容易为了互相保障而组织起来。苦力的比较的自由，给他们一个组织的机会。例如上海的黄包车夫有一个基尔特（同业联合会），叫做“人力车夫互助会”，它给会员一些社会保障和医药治疗的帮助。这样的基尔特假使保持着仅仅是社会服务和互利的联合会的性质，是可能被允许存在的。但是，目的在于获得较好的劳动条件的工会就要被禁止了。在一九二五到一九二七之间组织起来的大工会早已被宣布为不合法，今天中国任何的合法劳动组织都是很小的，而且被政府严格的统制的。

上面已经指出，工人的最大多数是从农民阶级拉出来的。城市里的包身工和“学徒”，由小农民（男和女）充当，矿坑工人和苦力由年纪较长的农民充当。这样，乡村家族集团就被暂时的也许永久的夺去了一些分子以致影响了乡村里传统的家族制度。乡村家族生活发生变化的主要原因是经济情势的变化，新的情势给乡下人造成了一些在外面谋生的机会。农民的贫困就驱使他们自己接受以及替他们的孩子接受这些外面的职业。

农民通常只能赚到比工人赚的更少的现钱，他们的生活标准甚至比工人更低。中国的广大的土地是分成一个一个小块农田的。甚至被认为有较大的耕地的“富”农，其实也只有小块的田地。下列数字虽然只指出田地的大小，一点没有说到被占有的土地的数目，但也能够显出全中国所存在着的一种情形。

平均每农家的耕地面积[1]（以亩为单位）

		富农	中农	贫农[2]
华北	陕西	53.0	29.0	10.0
	河南	144.7	28.7	8.5
华中	江苏	100.4	19.8	4.6
	浙江	25.9	13.9	5.7
华南	广东	25.5	11.7	5.7
	广西	30.9	16.6	5.6

北方农家的耕地比较多，这未必就表示他的景况比

[1] 见一九三六年六月十一日，陈翰笙所编的数字。

[2] 中农是指的依照当地的生活费用能够通年维持家计的农家。不能做到这一步的，归入贫农；情形胜过中农而雇用某种形式的佣工的，归入富农。

中部或南部诸省的农家的景况好一点。事实是北方的土地比较贫瘠，每年的收获量较少，而且家庭往往是更大一点的，所以为了维持生活所必需的田地要相应的大些才行。农民的田地不仅很小，而且分隔成一条一条，有的靠近农民的谷场和房屋，有的却可能是离得远远的。

据估计，中国农民大约一半有地，其余则是佃农。有地的未必就比佃农生活得好些，因为他所有的田地也许是太小的。在中国，有地和佃耕的经济的差异，只在达到某一点的时候才开始，这就是：土地所有者有足够的土地，因而能够出租一部分而把捐税的负担推在佃农身上的时候，这才开始有地和佃耕的经济的差异。

土地所有权集中在那些自己不耕种的地主手里——这集中的程度在各处地方是不同的。例如，在华南靠近广州的地方，住在乡村里的个别农家的百分之三所有百分之十九的土地，而同时，差不多耕地的一半却属于集体的地主——就是说，属于那些差不多像个别的外住地主（离开土地住在别处的地主）的人们所管理的集合的家族集团。[1] 在上海近郊，住在乡村里的地

[1] Chen Han-seng，*Landlord and Peasant in China.*

主通常是不治田产的。他们有农村家庭总数的百分之六不到，但所有了耕地的百分之四十七。这里差不多百分之六十九的农家都陷于贫农和雇农的阶级，仅仅所有百分之十四点二的土地。在北方，靠近天津的地方，地主是农家总数的百分之四不到，所有百分之十三点四的耕地；而贫农和雇农占农家数量百分之六十五点二，所有百分之二十六不到的土地。[1]再向北，在绥远的某处，三十个地主家庭就所有了耕地的百分之六十；在这地方附近另一个地方，十六个地主家庭竟所有了耕地的百分之九十。[2]现存于全中国的土地所有的显著的不平均状态，从这些绝不毗连的各区域的情形都可以得到说明。

国联应中国政府之请，派到中国研究农业问题的调查员，对南京政府警告农民现状的危险，说：

> 假使农村的人民竟至于觉悟到：他们的命运不是本该如此的，可以从那些自己不在田地上劳动的地主手里把土地拿过来，以及必需找

[1] Chen Han-seng，*The Present Agrarian Problem in China.*

[2] 见一九三三年陈翰笙所编的统计数字。

> 出新的方法来改进他们的景况——那么，他们就会采取对于社会的和政治的稳定有严重危害的行动了。所以，筹划和坚决的采取一个足以阻止农民发生不满的农业政策，是至要的。[1]

这位农村调查员更强调另外一点——农民需要较多的土地。他说：

> 中国的传统，以及这国家里的农村生活的构造和耕种的技术及组织，都同样的要求土地分配的尽可能的平均。许多区域在过去五六十年间所达到的财产的集中，是危害农村诸阶级的安康以及社会的和政治的稳定的。[2]

关于那些先是苏区后来被克服的地方的土地的重新分配，他报告了一些情形。这些地方不但因为战争的破坏，人口减少许多，而且田契和田界都已经被毁，所以

[1] Dragoni，C.，*Report on Agricultural Reform and Development in China*，p.175.

[2] Dragoni，C.，*Report on Agricultural Reform and Development in China*，p.220.

一般农田的组织和土地占有可以完全重新处置。但是他发现中国政府并没有这样企图。非但不重新分配以使农民可以得到较多的土地，以及把土地较合理的划分，使得耕种起来较为便利，相反，他发现那些委员们的首要的工作是努力恢复从前的地主的所有权。他说：

> 把事情弄得更糟的，是这些委员们是由乡绅充当的，他们的行为自然是存心为了他们的阶级的利益而不是为了平民的利益。平民当然要陷于比乱事以前更惨的境遇了。就大体而言，岂但是旧制度会带着一切的缺点恢复起来，而且会是更坏的制度来代替它。[1]

虽然现在的耕地即使重新加以分配也许还不够使农民生活得舒服，但还有可以开垦和利用的土地。例如点缀在田野里的坟墓可以移到一个乡村公墓里，它们所占的地方就可以作耕种之用。在许多村庄里已经在这样做着，而且只要是正正当当向农民提出的，农民并不反对

[1] Dragoni, C., *Report on Agricultural Reform and Development in China*, p.221.

这种改变。其他的土地可以开垦。但是即使用这些方法增加了耕地的总数，中国农民仍然得面对着很严重的经济问题，除非采取其他的步骤改善了他们的命运。

在现在的情形之下，佃农不得不缴付苛重的田租，或是纯粹的现金地租，或是一定量的谷物折算成现金，或是一定比例的分收谷物。一般的说，自从十九世纪中叶以来，特别在那些茶、棉、烟草这类商业农作物的种植流行的地方，现金地租或现金折谷地租是日益增多的。还有，谷价升涨着的地方，特别是那些最近水道和铁路的地方，现金地租的缴付也是日益增多的。农民们，假使他们的可以出卖的谷物不够缴付苛重的现金地租，就不得不负债。但是，在那些活期放款的基础开始动摇而银根奇紧的地方——像一些内地区域，特别是在一九三〇年以后所发生的情形——地主们就改变要求了；他们不要现款，却要一定量的谷物，来保证他们的地租收入。事实上，在许多地方，特别在那些刚发生过灾荒的地方，谷物地租的缴付是越来越盛行分收制度的。分收有一定的比例，在这种制度里，地主供给农民一些生产手段——例如农具、农畜、种籽——但是他们在收获中所取的一份是超过他们的投资多多的。他们往往是要取谷物的百分之六十到八十。

换句话说，当佃农能够把谷物多卖些钱出来的时候，他们就不得不缴付高价的现金地租。当他们穷得太厉害以致不能自备必需的生产手段的时候，他们就只得赞同分收制度，实际上是被迫缴付甚至更重一点的地租。在任何一种场合，他们总不得不负债。放债的人往往就是地主，而利息往往是年利百分之五十到七十。

关于地主的种种活动，有一位中国学者这样描写：

> 他们是收租者，商人，高利贷者，和行政官。许多地主—高利贷者成为地主—商人；许多地主—商人又变成地主—商人—政客。同时，还有许多商人和政客变成地主。地主常常还开设酒厂、油坊和谷仓。另一方面，货栈和杂货店的所有者也是土地抵押的承受者，最后就是土地的所有者。地主的当铺和钱庄是和文武要人的银行这样那样的联结着的，这也是周知的事实……

> 中国的乡村的行政是全然被地主的遍在的势力所浸透的。捐税的、警权的、司法的和教育的制度，都建筑在地主的权力之上。不能缴清地主—官僚的捐税和地租的贫农，被残酷的拘禁和拷打……
>
> 大地主，地主，和富农，他们利用农民的贫困——这贫困主要是由于缺乏土地而造成的——于是扮演高利贷和商业资本的双簧。他们垄断粮食，操纵价格，和放各种的债。这样一年一年下去他们本来的地产就两倍、三倍、许多倍的增加了。[1]

关于地主—商人—高利贷者的结合体的活动情形，另一位中国人也有过描述。他考察了广西南部产甘蔗的地方所行的一种残酷办法。蔗糖制炼厂，他说，十分之九是地主所有的。糖厂用农民做的粗糖来精制。这种粗糖的制造是用的原始的方法，需要许多时间，所以在粗糖能够出卖之前，农民不得不借债来维持一家的生活。

[1] Chen Han-seng，*The Present Agrarian Problem in China*，pp. 18-21.

他走到糖厂里去借债，但是他得到的是糖，而不是钱。糖厂借糖给他的时候用小秤称，所以农民实际只拿到百分之九十八。这糖照市价以上的价钱折算做现款，月利百分之三到百分之七。在这一阶段，据他计算起来，假使是一百元的债，农民其实只能得到八十九元。到了收获期，农民去还债的时候，糖厂用百分之一〇二的大秤称农民的糖，这就是说，农民要多缴付百分之四。而且，收获期的市价降低了，但是农民的糖得照这时的市价计算，来折抵欠款。在这一阶级，据这位研究者计算起来，假使农民实借一百元，他必需缴还一百八十二元。糖厂把收来的粗糖制成上等糖，次等糖，和糖蜜；从农民还债还来的这一部分制成的可卖品，价值要超过最初借出时的两倍以上。假使把这计算在内，那么就是说，借出一百元的债，债主可以收回二百元以上。这个办法在别处地方可以照样的实行，所不同的只是把糖换上别样收获物而已。[1]

地主—商人—高利贷者专心一意榨取农民的原因

[1] 见 *Far Eastern Survey*，Vol. V，No.7（一九三六年三月廿五日）中所载 Wu，Leonard，*Merchant Capital and Usury Capital in Rural China*.

是由于这样的事实：为了争攫利润，资本就走进有最迅速的回转的希望的投资里。工厂不仅需要比较大量的资本，而且需要一个长时期等待资本的回转。商店是需要的资本较少，而周转比较迅速的。但是农村里的商业投资和高利贷投资，却能够用任何小单位的资本而活动，而且还能够得到迅速的不合比例的回转；因此在中国的情形之下是特别有吸引力的。中国的资本积蓄不能冒第一种投资（指工厂投资）的危险，因为它有和外国人竞争的必要，而这竞争是几乎毫无希望的。它自然大多是走进第三种投资，这一种最有吸引力的利润源泉了。

除土地太少和地主—商人—高利贷者的压迫这两者之外，还有其他的因素加剧中国农民的贫困。其中有赋税和特别捐的作用，有国内混乱和水灾之类反复发生的灾难的作用，以及农村实业的崩溃的作用。

赋税的基本成份是正常的田赋；这想来应该是地主缴的，但是有许多场合竟由佃农缴纳一部分甚至全部；这种税率各地方不同。另外，除了正常的田赋，还有额外附加的捐税。附加税的数量也是各处不同的。例如在山东，一九二八年时，附加税平均比田亩正税高出百分之二七四；在河南的和河北的某些地方，一九二九年时，附加税高出百分之四三二；一九三〇年，河南省的附加税比正税大百分之四千零十六。在四川省，除了种种附加税和特殊征发之外，而且预征了五年到四十一年的钱粮，这是一九三一年到一九三三年之间的情形。[1]征收附加税有种种的原因，而最主要的是军事目的的额外经费的需要。地方长官在一市、一区或一村征求什么特别捐，这是惯例。有几种捐税是取的包税制度，地主一商人一官僚投标似的出价包税，出价最高的就和政府订定捐税契约。于是承办人就向农民征税，除了转缴给政府他所负责的数目之外，他自己也落下相等的数目。额外捐税的征收，以及这种古旧的和压迫的征收制度，在现政府之下还是没有废止，相反的，却变本加厉了。

除了军事目的的特别捐税之外，军队还要作种种的苛求。军队开拔的时候——自从一九二八年以来，这些军队差不多每个月都是在战时状态中——照例要沿路向农民征发骡马和大车来运输军粮和军需。在南方，兽力比较北方少，于是拉伕更加盛行，据估计，每个“武

[1] 数字引自 Chen Han-seng 的 *The Present Agrarian Problem in China.*

装同志”需要两个替他搬运东西的佚子，男子也有，女子也有。这些特别征发当然不包括在附加税或特别捐之内，但是在种种征敛之外加重了人民的负担。

在田亩捐、附加税、特别捐和军队征发之外，还有许许多多其他捐税要出在农民身上。米、油、苎麻、皮革、鱼、水果、牛、猪、腊肠、鸡蛋、喂猪的米糠、肥田的豆饼——一切种类的商品在各省各县都要缴纳发卖税和通行税。宗教的典礼、结婚仪式和杀猪，都要缴付照会捐。想要再嫁的寡妇也得缴一笔款子。要筑一条新路的时候，路两旁某种距离之内的每个男子和女子也会被征课某种捐税。许多英里的现代公路是无工资的被征的劳动者筑成的，他们被征筑路的时候，他们的家庭正要他们来养活。新路筑成之后，常常是要缴付某种捐税或通行税才能利用它。公路所占去的土地是不偿付代价的，而且常常有些原来的所有者还不得不继续缴付那已经不属于他的土地的赋税。[1]

土地的缺少，土地所有的集中，苛重的地租，重利盘剥，以及上述各种的捐税，似乎已经使中国农民的问

[1] Chen Han-seng，*Landlord and Peasant in China.*

题困难得可以了，但是还不止如此。因为贫穷，巨大数目的农民做了天灾的轻易的牺牲。从一九二〇以来，中国已经发生了七十次以上的水灾；其中之一，一九三一年的长江下游的水灾，是中国历史上最坏的。二千五百万的人民——这数目和美国的全部农业人口相近——受了直接的影响；七万平方英里的土地被淹了平均九英尺深的水；有些地方几个月还不退水，人民的房屋被淹的时间平均是五十一天。全部损失，估计约二十万万元。[1]水退之后，留下了性命的农民，既没有一个钱，也没有了家，更不必说耕种所必需的任何生产手段了。一个在中国出版的报告[2]说，假使对于水灾有事先的准备就可以大大的减少它的可怕的效果；于是它责备政府疏忽了水灾的防范。

在过去，虽然有反复的灾难和混乱，农民的经济境况还不像现在这样的朝不保夕，因为他们有许多不同来源的辅助的收入。家庭里纺的棉纱，织的棉布；种在不能种五谷的山腰上和在家里制成的茶；以及在家庭里养

[1] 见一九三三年中国赈灾委员会的报告。

[2] 南京金陵大学出版，*The 1931 Flood in China*，p.46。

蚕、缫丝或织丝，这三样原是基本的农村实业。但是由于现代实业的竞争——主要是外国的——每一样实际上都被打倒了。纺纱和缫丝的工作几乎完全被现代工厂代替了，虽则织的工作还在家庭里进行。但是现在的买主希望得到的是品质和等次一律的货物，而在现在的条件之下这样的货物是农民所不能供给的。制茶除了细心的采、焙制、分等次和选择之外，运输的速度和方法还要影响它的品质。中国的和其他地方的工厂出产的织物，以及外国的种茶场的茶叶，夺去了制作比较粗劣的土产的市场；基本的农村实业因此受了致命的打击。其他的农村实业，因为外国输入品和走私货物的侵入，也越来越不振了。例如灯火所用的菜子油（还有豆油、棉油等）这种土产，已经大部分被外国输入的——主要是美国输入的——火油所代替。[1]

中国农民和他们的日益严重的难题挣扎的时候，至少有这样的可能：他们自己起来救自己，像他们从前所做过的。一个至少写作于一百二十五年以前而现在很流行的戏剧，使我们可以看出农民被结合的压迫形式和不

[1] Fong, H. D., *Rural Industries in China.*

公平驱使得走投无路的时候的精神，以及农民在这样的境遇之下的行动。最近发表的这剧本的英译，题目叫做《杀的权利》(即《打渔杀家》)，它的译者引言里这样说：

> 萧恩，这戏剧的主角，……和他的女儿做一天吃一天的生活着，……缴不起本地大户中的一个豪绅向他征的不合法的“鱼捐”。豪绅派他的庄丁去勒索。他诉说经济的困难，但是他们不管。他们打他。他眼看立刻就要受到危害了，于是他勇敢的自卫，把那些行凶的人赶跑。他知道事情不能就此拉倒，就到衙门里伸诉。但是县官听了豪绅的话，责他四十大板，还要他向那豪绅赔罪。他被压迫，被冤枉，和被残踏，于是忽然觉悟唯一的出路是不顾法律而自由行动。“他们剥夺了我反对不合法捐税的权利，”他叫道，“他们剥夺了我诉于正义的权利。他们剥夺了我做人的权利！但是我还剩着一个权利——杀的权利！”

于是他杀了他的压迫者。[1]

这种精神，如我们所知道的，在中国全部历史上曾经时时表现为直接的行动，它在最近的中国共产主义运动里也是明显的，这个运动对于不设法解救农民的基本困难的中国政府作了最积极的抵抗。前几年，中国政府开始设立处理农村问题的行政机关；推动政府的原因之一，就是这种运动的力量。再则，一九三一年的大水加剧了农民的贫困，并且显示了农村改造的以及救灾赈荒的必要。尤有进者，当一九三一年到一九三二年的期间，日本占领了满洲和轰击了上海，这财政的和领土的巨大损失又把另外的负担加在中国人民的身上，因而使得替人民打算打算是急切而不可避免的了。[2]因此现在中国有两个不同的运动针对着农村改造的方向——一个是革命的，另外一个是政府监督之下的改良主义的。

建立于一九三一而开始工作于一九三三的全国经济

[1]《天下月刊》，第二卷第五期（一九三六年五月号），pp.468-469。

[2] 见 *Far Eastern Survey*，Vol. V，No.24（一九三六年十二月二日）中所载 Field，Fred-erick V.，*The Call to Reconstruction in China.*

委员会，负计划农村改革和掌管特种方案的总责。在它之下设立了许多“会”和“部”，处理公路、水利工程、保健、农业、纱业、丝业，和创办了特种企业的特别区域的问题。另外有五个促进国家改造的机关负责处理赈灾、发电所、电气设备、灌溉、蓄水、保护森林、农作物生产，和畜牧等类的事情。各省也设立类似的机关。

中国的农村改造可以分成两大类。一类是和社会情形密切的相关联的，包括土地的再分配、减租、减税，以及利率合理的贷款。另一类和社会情形不密切的关联着，但是因为每一个改造农村的企图都有上述的根本问题横贯在内，因而它也不得不受第一类的影响。这一类的改造必需作技术的改进，这包括耕种方法、蓄水、防滥、造林和交通。

属于第一类的一切形式的改造，牵涉地主和高利贷的问题，小佃农和苛捐杂税的问题；在这里面，基本的改革是一个和地主密切联结而且倚赖他们支持的政府所难于做到的。关于减租的法律是有的，但是各地方的地主的政治势力比贫苦农民的强大，他们使这种法律的执行发生了实际的困难。在一九三四年曾经规定了减低田赋的法律，但是实际上减少的数量很少，而且还抵消不了地方政府的实际是强派的公债的负担。政府鼓励农村合作社出资收买土地加以合理的分配，但是合作社却不得不向当地的地主一商人一官僚的集团借钱，因为在农村里只有这个集团有可以应用的资金。如何在克服了的苏区重分土地的情形，也是我们已经知道的。所以，这第一类的改革，政府是简直没有做的；它的处境阻止了任何根本的改革。

在第二类的场合有一些成绩。蓄水和防滥的设施已经做了一些。在干旱的地方开了井，掘了灌溉的水渠；在受水灾威胁的地方筑了堤岸和坝。这些工程是用新增的税和强迫劳动建造的。和水利密切关联的造林，也开始了；但结果还无足重轻。关于这事，一位中国问题的权威说，在中国只有一百零五个从事森林工作的技术人员，只有八十处造林场，而全部预算只有一百二十五万元多一点。进步的交通也有了可能，但是中国的现代公路——如前所述，是用强迫劳动在那不给代价而且常常还作为生产的田地而征税的土地上筑成的——和古代用类似的方法造成的运河，这两者的作用是不同的，原因是：利用公路要缴通行税；中国现代公路的运输被独占权所控制；在这些路上行驶的汽车的机器和汽油都要从外国买来；以及，外国工业品——走私的或是合法输入的——能够比从来更迅速的侵入这个国家，因而进一步瓦解了农村经济。进步的交通，以及农村区域的其他种类的技术的改进，对于农民简直没有利益；相反，他们发现所谓复兴是另一重负担。[1]

国家公债或是地方公债，都只有极小的百分数是用在农村复兴上的。这些公债的一半或一半以上是用在军队和警察制度上。军队和警察之所以被认为有最高的重要性，有两个原因。那时的政府，在本质上，是用武力来维持统治的。其次，日本侵略的威胁使国防设施成为必要。

因为中国遇到日本的不断的侵略，民族危亡的问题超越在任何国内问题之上。显然的，假使中国的工人和农民要争取较好的生活，他们就必需积极的参加驱逐侵略者的斗争。中国人必需团结起来抵抗侵略者这一个观

[1] 见 *Far Eastern Survey*，Vol. V，No.25（一九三六年十二月十六日）中所载 Field，Frederick V .，*Chinese Reconstruction in Practice.*

念，是一天一天的散播得更广大了。

对于中国人民——全世界人口的五分之一——制止日本的侵略是具有第一义的重要性的事。当人类的这一庞大的部分获得民族解放之后，它会做些什么——这对于全世界和对于中国一样的重要。

三联经典文库第二辑简目

《游击战教程》　明凡 / 著

《游击战术纲要》　陶剑青 / 编著

《汪精卫卖国的理论与实践》　钱俊瑞 / 著

《抗战以来》　韬奋 / 著

《陕行纪实》　楚云 / 著

《随军散记》　沙汀 / 著

《被日寇囚系半载记》　王研石 / 著

《倭营历险记》　房沧浪 / 著

《活跃的新西北》　田影 / 编著

《保卫华北的游击战》　刘清扬　陈北鸥等 / 著

《徐州突围》　《徐州突围》编委会 / 编

《沦亡的平津》　长江　小方等 / 著

《淞沪火线上》　胡兰畦等 / 著

《瞻回东战场》　长江　罗平 / 著

《东线的撤退》　胡兰畦等 / 著

《抗战中的西北》　徐盈 / 著

《鲁闽风云》　徐盈等 / 著

《西线生活》　西北战地服务团集体创作

《中国解放区见闻》　［美］福尔曼著 / 朱进译

《全面抗战论》　潘汉年 / 著

《日本的间谍》　范士白自述 / 尊闻译

《日本大陆政策的真面目》　国难资料编辑社 / 编

《民众动员论》　李公朴 / 著

《中国外交史》　钱亦石 / 编著

《太平洋军事地理》　蒋震华 / 著

《世界经济地理讲话》　思慕 / 著

《列强军力论》　［德］马克斯 · 威纳尔著 / 宾符　仲持　梅益等译

《近代国际关系史》　张铁生 / 著

《太平洋现势手册》　沈志远　石啸冲 / 编著

《近代世界政治史》　钱亦石 / 著

《从战争到和平——一九四五年的世界政治》　乔木 / 著

《战后日本问题》　思慕 / 著

《最近一年间的国际动态（1946.7–1947.6)》　《东北日报》社 / 编

《论政党》　翟放 / 著

《法与宪法》　韩幽桐 / 编著

《中华民国宪法刍议》　罗家衡 / 著

《民主 · 宪法 · 人权——作之民》　费孝通 / 著

《宪法论初步》　潘念之 / 著

《对反民主的抗争》　韬奋 / 著

《农村改进的理论与实际》　江恒源 / 著

《上海产业与上海职工》(上下)　　朱邦兴　胡林阁　徐声 / 合编

《陶行知教育论文选辑》　　陶行知著 / 方与严编

《中国通货膨胀论》　　杨培新 / 著

《中国及其未完成的革命》　　H·普拉特著 / 蒋天佐译

《中国的建设问题与人的训练》　　卢作孚 / 著

《论中国特殊性及其他》　　艾思奇 / 著

《中国经济问题讲话》　　钱俊瑞　徐雪寒　王渔邨　姜君辰　骆耕漠 / 合著

《中国经济的道路》　　许涤新 / 著

《中国财政之病态及其批判》　　孙怀仁 / 著

《官僚资本论》　　许涤新 / 著

《五四运动之史的评价》　　陈端志 / 著

《中国通史简编》(上下)　　中国历史研究会　范文澜 / 主编

《论文学的工农兵方向——读〈在延安文艺座谈会上的讲话〉》　雪苇 / 著

《中国近代史(上编　第一分册)》　　武波 / 编著

《文学百题》　　傅东华 / 编

《中国史学之进化》　　周谷城 / 著

《论民族形式问题》　　胡风 / 著

《论批评》　　荃麟等 / 著

《中国史纲》(第一卷上下、第二卷上下)　　翦伯赞 / 著

《近代中国思想学说史》(1–4)　　侯外庐 / 著

《中国政治思想史》(上下)　　吕振羽 / 著

《中国哲学史纲要》　　向林冰 / 著

《中国政治史讲话》　　钱亦石 / 著

《中国社会经济史纲》　　王渔邨 / 著

《新财政学大纲》　　千家驹 / 著

《太平天国革命运动论文集——金田起义百周年纪念》

华北大学历史研究室 / 编

《理性与自由——文化思想批评论文集》　　胡绳 / 著

《战斗者的诗人》　　黄药眠 / 著

《国语文法》　　曹朴 / 著

《教育哲学》　　张栗原 / 著

《妇女问题讲话》　　杜君慧 / 著

《婚姻 · 子女 · 继承》　　沙千里 / 著

《性教育新论》　　布士克　雅各生合著 / 董秋斯译

《狱中杂感》　　杜重远 / 著

《七人之狱》　　沙千里 / 著

《爱迪生传》　　伍况甫 / 译

《歌德自传》(上下)　　歌德著 / 思慕译

《尼赫鲁自传》　　[印度] 尼赫鲁著 / 毕来译

《列宁传》　　[苏] 凯尔任采夫著 / 企程　朔望译

《罗斯福总统传》　　C. Mackenzie 著 / 张尚之译

《托尔斯泰传》(1–3)　　[英] 阿尔麦 · 莫德著 / 徐迟译

《革命文豪高尔基》　［美］亚历山大 · 康恩著 / 韬奋编译

《鲁迅纪念特辑》　新中国文艺社 / 编

《回忆鲁迅先生》　萧红 / 著

《人民文豪鲁迅》　平心 / 著

《亡友鲁迅印象记》　许寿裳 / 著

《鲁迅思想研究》　何干之 / 著

《鲁迅研究》　夏征农 / 编

《过来的时代：鲁迅论及其他》　雪峰 / 著

《电影戏剧表演术》　洪深 / 著

《日常心理漫谈》　［美］约瑟夫 · 查斯特罗著 / 曾宝施译

《心理常识漫话》　朱智贤　杨云美 / 著

《读书的方法与经验》　王任叔 / 著

《美国黑人生活纪实》　［美］加德维尔　斯坦倍克著 / 董秋斯译

《初访美国》　费孝通 / 著

《事业与成功》　［美］马尔腾著 / 汪原放译

《萍踪寄语（初集）》　韬奋 / 著

《一生的幸福前途——〈生活周刊〉信箱选集》　生活书店 / 编选

《深刻的印象》　生活周刊社 / 编

《海外的感受》　生活书店编译所 / 编